ある日《ひ》…
秘密基地《ひみつきち》の
ナビモニターが…
謎《なぞ》のハッカー・X《エックス》に
乗《の》っ取《と》られて
しまった！
そればかりか…
〝日本《にっぽん》の歴史《れきし》の神様《かみさま》〟が
ナビモニターの中《なか》に
閉《と》じ込《こ》められ…
このままでは…
世界《せかい》の歴史《れきし》にも
深刻《しんこく》な影響《えいきょう》を
およぼす可能性《かのうせい》が
あるという‼
それを聞《き》かされた
オレ達《たち》、
少年探偵団《しょうねんたんていだん》は…

時間冒険者達《タイムドリフター》とともに
X《エックス》からの挑戦《ちょうせん》に応《おう》じ…
歴史《れきし》に隠《かく》された
謎《なぞ》に挑《いど》む!!
タイムドリフターの
冒険《ぼうけん》アイテムは、
オレ達《たち》と通信《つうしん》できる
スマート端末《たんまつ》
「スマタン」と…
タイムドリフター
どうしで通信《つうしん》可能《かのう》な
「DB《ディービー》バッジ」だ!
DETECTIVE BOYS
DB

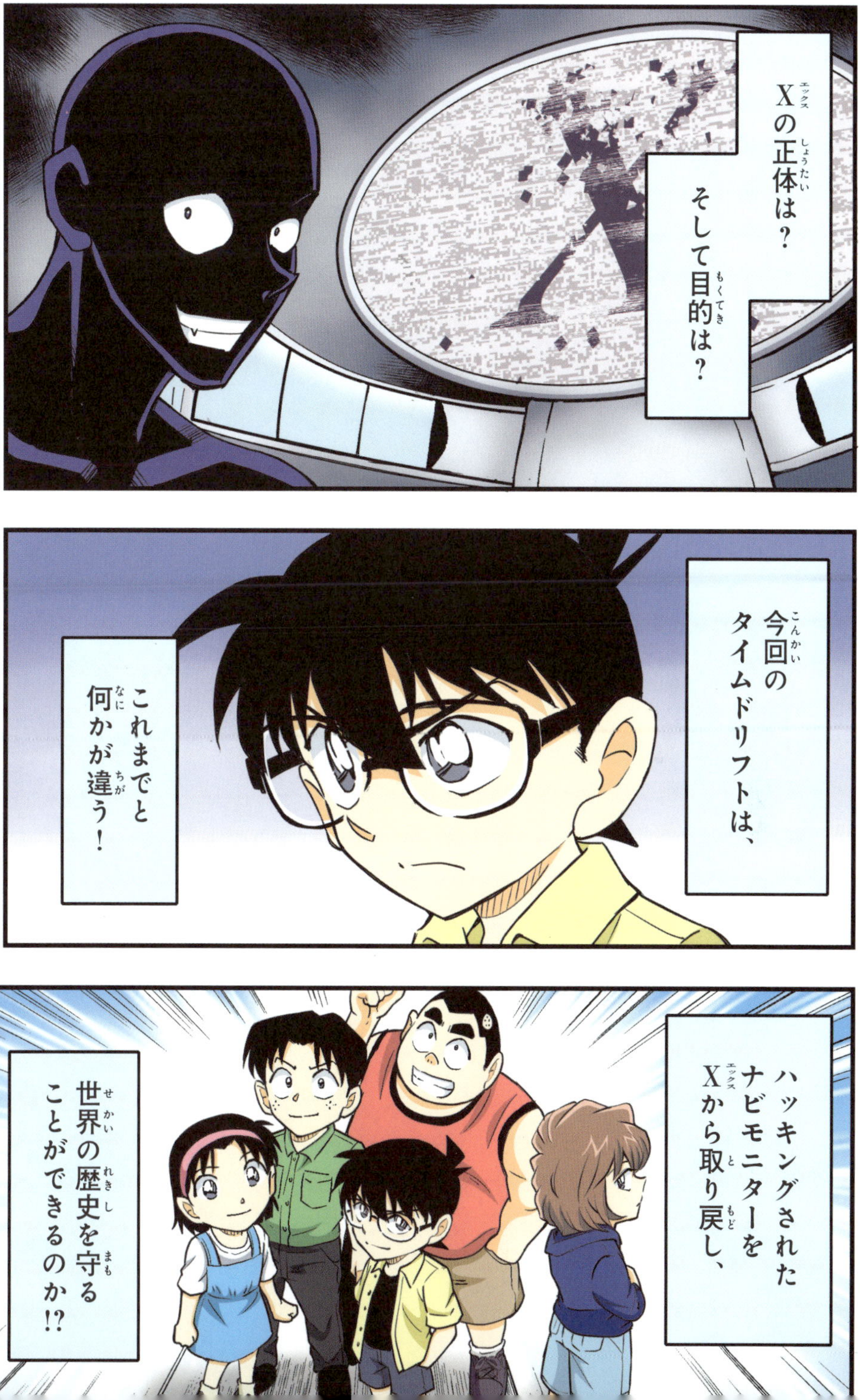
X《エックス》の正体《しょうたい》は？
そして目的《もくてき》は？
今回《こんかい》のタイムドリフトは、
これまでと何《なに》かが違《ちが》う！
ハッキングされたナビモニターをX《エックス》から取《と》り戻《もど》し、
世界《せかい》の歴史《れきし》を守《まも》ることができるのか!?

ようこそ時間冒険《タイムドリフト》の世界《せかい》へ！

名探偵江戸川《めいたんていえどがわ》コナンと少年探偵団《しょうねんたんていだん》は、
過去《かこ》に飛《と》ばされた子《こ》ども達《たち》
タイムドリフターと協力《きょうりょく》し、
日本《にっぽん》の歴史《れきし》、そして世界《せかい》の歴史上《れきしじょう》の
数《かず》かずの難事件《なんじけん》を解決《かいけつ》してきた!!
今回《こんかい》はどんな冒険《ぼうけん》が待《ま》ち受《う》けているのか…。
コナンといっしょに歴史《れきし》の旅《たび》に出発《しゅっぱつ》しよう！

過《か》去《こ》へと飛《と》ばされた13人《にん》の少年少女達《しょうねんしょうじょたち》、タイムドリフター。偶然発見《ぐうぜんはっけん》した〝ナビルーム〟で彼《かれ》らと出会《であ》ったコナンと少《しょう》年探偵団《ねんたんていだん》は、タイムドリフターが現代《げんだい》に戻《もど》るために必要《ひつよう》な〝時《とき》のイシ〟集《あつ》めを手伝《てつだ》うことに。強敵《きょうてき》、怪盗《かいとう》ウルフと対決《たいけつ》しながらも、日本《にっぽん》の歴史《れきし》の謎《なぞ》や事件《じけん》を解決《かいけつ》し、12の時《じ》代《だい》に散《ち》らばった〝時《とき》のイシ〟をぶじに集《あつ》めることができた。

安《あん》心《しん》したのも束《つか》の間《ま》、今《こん》度《ど》は封印《ふういん》を解《と》かれた〝歴《れき》史《し》の悪魔《あくま》〟が暴走《ぼうそう》を始《はじ》める。日本《にっぽん》の歴史《れきし》を守《まも》るため、タイムドリフターは再《ふたた》び日本《にっぽん》の歴《れき》史《し》を時間冒険《タイムドリフト》する。6個《こ》の〝時《とき》の紋章《もんしょう》〟を探《さが》し出《だ》し、タイムドリフターとコナン、少年探《しょうねんたん》偵団《ていだん》は力《ちから》を合《あ》わせて〝歴史《れきし》の悪魔《あくま》〟を再《ふたた》び封印《ふういん》することに成功《せいこう》したのだった。

コナン達《たち》を待《ま》ち受《う》ける時間冒険《タイムドリフト》はまだまだ続《つづ》く。新《あら》たな謎《なぞ》と事件《じけん》は、歴史《れきし》と歴史《れきし》の間《あいだ》に埋《う》もれていた。タイムドリフターは時代《じだい》を飛《と》び回《まわ》り、事態《じたい》を解決《かいけつ》に導《みちび》いたのだった。

さらに〝チエの実《み》〟を調《ちょう》査《さ》していた阿笠博士《あがさはかせ》が突如《とつじょ》姿《すがた》を消《け》してしまう。タイムドリフターは12の時代《じだい》で阿《あ》笠博士《がさはかせ》の捜索《そうさく》にあたった。そこに立《た》ちはだかったのは、世《せ》界《かい》の歴史《れきし》の謎《なぞ》、事件《じけん》、そして新《あら》たな強敵《きょうてき》、猫盗賊《キャットシーフ》キャラットだった。

しかし何《なん》とか〝真実《しんじつ》のチエの実《み》〟を手《て》に入《い》れたタイムドリフターのおかげで、博士《はかせ》は、ぶじナビルームに戻《もど》ってきたのだった。

そしていま、新《あら》たな時間冒険《タイムドリフト》が始《はじ》まろうとしている…。

CONAN HISTORY COMIC SERIES

世界史《せかいし》探偵《たんてい》コナン シーズン2 II 2 遊《あそび》と歴《れき》史《し》

人《じん》物《ぶつ》&アイテム紹《しょう》介《かい》

ヒルダ

亡《な》き夫《おっと》の跡《あと》を継《つ》ぎ、バイキング船《せん》の船長《せんちょう》を務《つと》めている。

ニヨルド

ヒルダの船《ふね》の副船長《ふくせんちょう》。

船員達《せんいんたち》

ヒルダの船《ふね》の船員《せんいん》。普《ふ》段《だん》は遊《あそ》んでばかりだが、その実力《じつりょく》は…？

マグニ

ヒルダひきいるバイキング船《せん》と対立《たいりつ》しているバイキング船《せん》の船長《せんちょう》。極悪非道《ごくあくひどう》の荒《あら》くれ者《もの》。

オイゲン・シュミット

1862～1931年《ねん》

デンマーク代表《だいひょう》のオリンピック選手《せんしゅ》。航《わたる》の求《もと》めに応《おう》じ、デンマーク・スウェーデン合同《ごうどう》チームに参加《さんか》することに。

ピエール・ド・クーベルタン

1863～1937年《ねん》

国際《こくさい》オリンピック委員《いいん》会第《かいだい》2代会長《だいかいちょう》。フランスのパリオリンピックの開催準備《かいさいじゅんび》で頭《あたま》を悩《なや》ませている。

デンマーク・スウェーデン合同《ごうどう》チーム

急遽《きゅうきょ》、綱引《つなひ》き種目《しゅもく》に出場《しゅつじょう》することになった2か国合同《こくごうどう》の寄《よ》せ集《あつ》めチーム。

シプジ

時間冒険《タイムドリフト》をサポートする最《さい》新《しん》アプリ。

時間冒険者《タイムドリフター》のアイテム

DB《ディービー》バッジ

トランシーバー機能《きのう》のついた探偵《たんてい》バッジ。同《おな》じ時代《じだい》の中《なか》でだけ通話可能《つうわかのう》。

スマタン

現代《げんだい》と過去《かこ》の時《とき》を超《こ》えて通話《つうわ》ができるスマホ型《がた》の通信端末《つうしんたんまつ》。

時間冒険者《タイムドリフター》

水《みず》と油《あぶら》の2人《り》組《ぐみ》

航《わたる》

華帆《かほ》

活発《かっぱつ》な少年《しょうねん》・航《わたる》と、物怖《ものお》じしないお嬢《じょう》さま・華帆《かほ》。2人《り》の活躍《かつやく》が国際的《こくさいてき》な大会《たいかい》を成功《せいこう》へ導《みちび》く!?

世界史探偵《せかいしたんてい》コナン・シーズンⅡ《ツー》

2［遊《あそび》と歴史《れきし》］ 瀬戸際《せとぎわ》の遊戯《ラストマッチ》

もくじ

［コナンの推理《すいり》NOTE《ノート》］

CONAN HISTORY COMIC SERIES

世界史《せかいし》探《たん》偵《てい》 コナン II シーズン2

DETECTIVE CONAN

2 遊《あそび》と歴《れき》史《し》

瀬戸際《せとぎわ》の遊戯《ラストマッチ》

原作《げんさく》／青山剛昌《あおやまごうしょう》
まんが／谷仲《やなか》ツナ・海童博行《かいどうひろゆき》

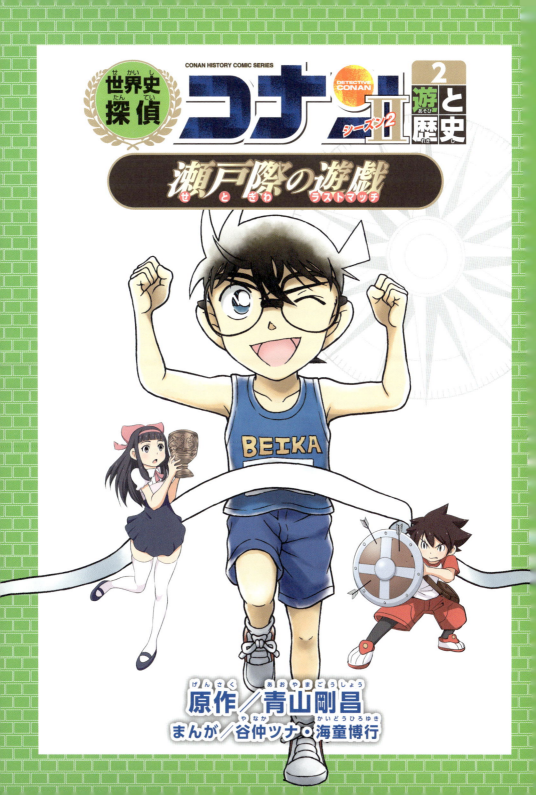

FILE. 1
未来《みらい》の国際《こくさい》競《きょう》技《ぎ》!?
うわあ!! すっげえ!
esports
機械《マシーン》がたくさ〜ん!
さすがe《イー》スポーツ展示会《てんじかい》ですね!!
体験会場《たいけんかいじょう》はこっちですね!
早《はや》くいこうぜ!
eスポーツ 体験場
サッカー、野球《やきゅう》、テニス…
格闘技《かくとうぎ》にシューティング、チェス…
へえ…パズルゲームまであるのか!
モータースポーツもあるみたいだよ!
…でも安室《あむろ》さんよかったの?
え?

だって、急《きゅう》に誘《さそ》っちゃったから…
あ!! 安室《あむろ》さん!
かまわないさ…
今日《きょう》は休《やす》みで散歩《さんぽ》をしていただけだからね…
やあ、出《で》かけるのかい?
安室《あむろ》の兄《にい》ちゃんもいっしょにいこうぜ!
eスポーツ 体験
なあ、光彦《みつひこ》…
e《イー》スポーツのe《イー》って何《なん》なんだ?
え…?
えーっと、それはその…
それは…

electronic《エレクトロニック》のe《イー》だよ!
エ…レク…?
エレクトロニック!
電子《でんし》って意味《いみ》さ!!
e《イー》スポーツは電子機器《でんしきき》を使《つか》うゲーム競技《きょうぎ》だからな!
ゲームって遊《あそ》びでしょ!? スポーツだなんてちょっと不思議《ふしぎ》!
テニスも…もともとは、
貴族《きぞく》の遊《あそ》びから生《う》まれたスポーツだし…
現代《げんだい》の遊《あそ》びからスポーツが生《う》まれるのも…
歴史《れきし》から見《み》たら不思議《ふしぎ》なことじゃないのかもよ?
へえ～…

ここはサッカーゲームの体験《たいけん》コーナーですね！
FOOTBALL
やってみようぜ！
ピーーッ
GAME START!
わ！
いきなり試合《しあい》が始《はじ》まったぞ!?
元太《げんた》君《くん》！コレ、オンライン対戦《たいせん》になってますよ！
わわっ…
あ！
ああっ!!
2失点目《しってんめ》…手《て》も足《あし》も出《で》ません…
うううう…
相手《あいて》は上級者《じょうきゅうしゃ》みたいだな…

ポイッ
これじゃつまんねぇよ！
オレ、ほかのゲームに…
おい、元太《げんた》…
くるっ
ダメだ！
ザッ
試合《しあい》を途中《とちゅう》でやめるなんて…
相手《あいて》に失礼《しつれい》だぞ！
！
ほら！
な…何《なん》だよ！
くるっ
オレがいっしょに戦《たたか》うからさ！

コナン君《くん》…彼《かれ》はもしかして…
うん！多分《たぶん》ね…
いっしょにってオメェ何者《なにもの》だよ…
いいから、いいから！
！
いまだ！前《まえ》に出《で》て!!
お、おう！
GOOOOAL!《ゴール》
や…やった！
わあ！
元太君《げんたくん》すごーい!!

ドッ
すごい！また決《き》まりました！
ブロックだ！
よぉし！
パシッ
バシュッ
これで3点《てん》目《め》！
逆転《ぎゃくてん》です！
ピーッ
3
2
ゲスト1
VS
ゲスト2
試合終了《しあいしゅうりょう》！
ワァアアアアァ
元太《げんた》の勝《か》ちだな！
す、すごすぎます…！
お兄《にい》さんのおかげだね！
……

あ〜…悪《わる》い…試合《しあい》のジャマをするつもりはなかったんだけど…
つい…
くるっ
兄《にい》ちゃん…すげぇヤツだったんだな!
へ…?
大逆転《だいぎゃくてん》できる必勝法《ひっしょうほう》があんのか!?
必勝法《ひっしょうほう》っていうか…練習《れんしゅう》をたくさん…
練習《れんしゅう》?
わざわざゲームの練習《れんしゅう》をするんですか?
それくらいするさ!
だってこの人《ひと》は…

プロゲーマーなんだから…
わあ！よく分《わ》かったね、キミ…
それ…
ゲーム用《よう》の手袋《てぶくろ》でしょ！
この前《まえ》ニュースで見《み》たんだ！国内最年少《こくないさいねんしょう》のプロゲーマーって！
ボクも見《み》たよ…名前《なまえ》はたしかショウさんだったかな？
ええ!? あの有名《ゆうめい》な高校生《こうこうせい》プロゲーマーのショウさん!?
何《なん》だよ…プロゲーマーって…
ゲームをすることが仕事《しごと》ってことですよ！
ゲームが!?
仕事《しごと》ぉ!?

コホン
そうさ！
オレ達《たち》プロゲーマーはアスリートみたいなもんなんだ！
アスリートって…
スポーツ選手《せんしゅ》ってこと？
e《イー》スポーツは、いずれオリンピック種目《しゅもく》になるかもって注目《ちゅうもく》されていますよね…
そうなんです！
そうなれば、オレも将来《しょうらい》はオリンピック選手《せんしゅ》かも…
なんてね！
オリンピック選手《せんしゅ》～!?
いまから始《はじ》めれば、キミ達《たち》だってチャンスがあるかもよ？

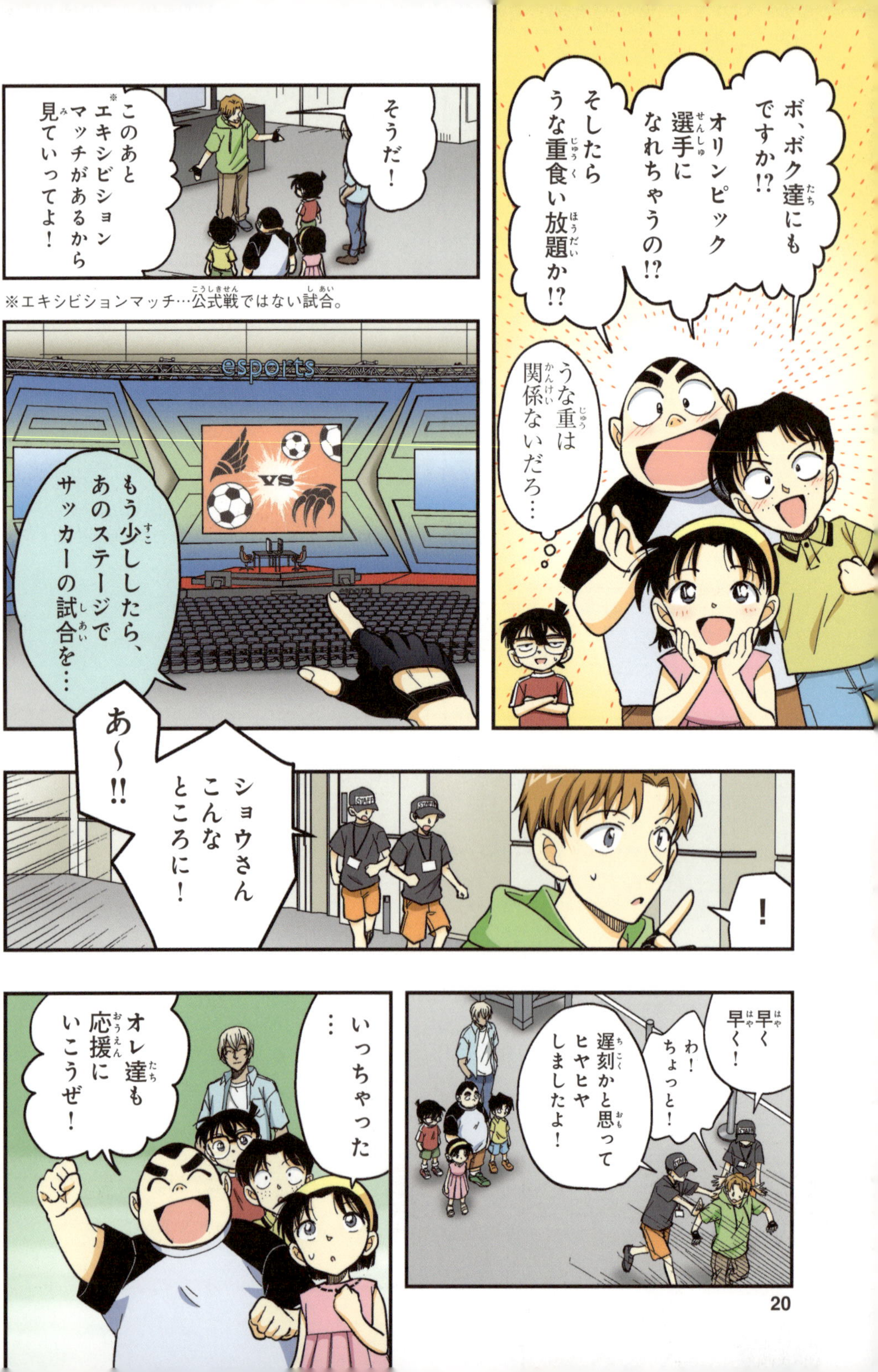

※エキシビションマッチ…公式戦《こうしきせん》ではない試合《しあい》。

esports
VS
満員《まんいん》だあ!!
サッカーの試合《しあい》顔負《かおま》けの人気《にんき》ですね!
そろそろ始《はじ》まるぞ!
みなさん、お待《ま》たせいたしました!
これよりエキシビションマッチを始《はじ》めます!
さあ、キックオフです!

espor

esports
ピーッ
GAME OVER
試合終了《ゲームオーバー》!!
勝者《しょうしゃ》…
WINNER
ショウ選手《せんしゅ》〜!!
ワァァァァ

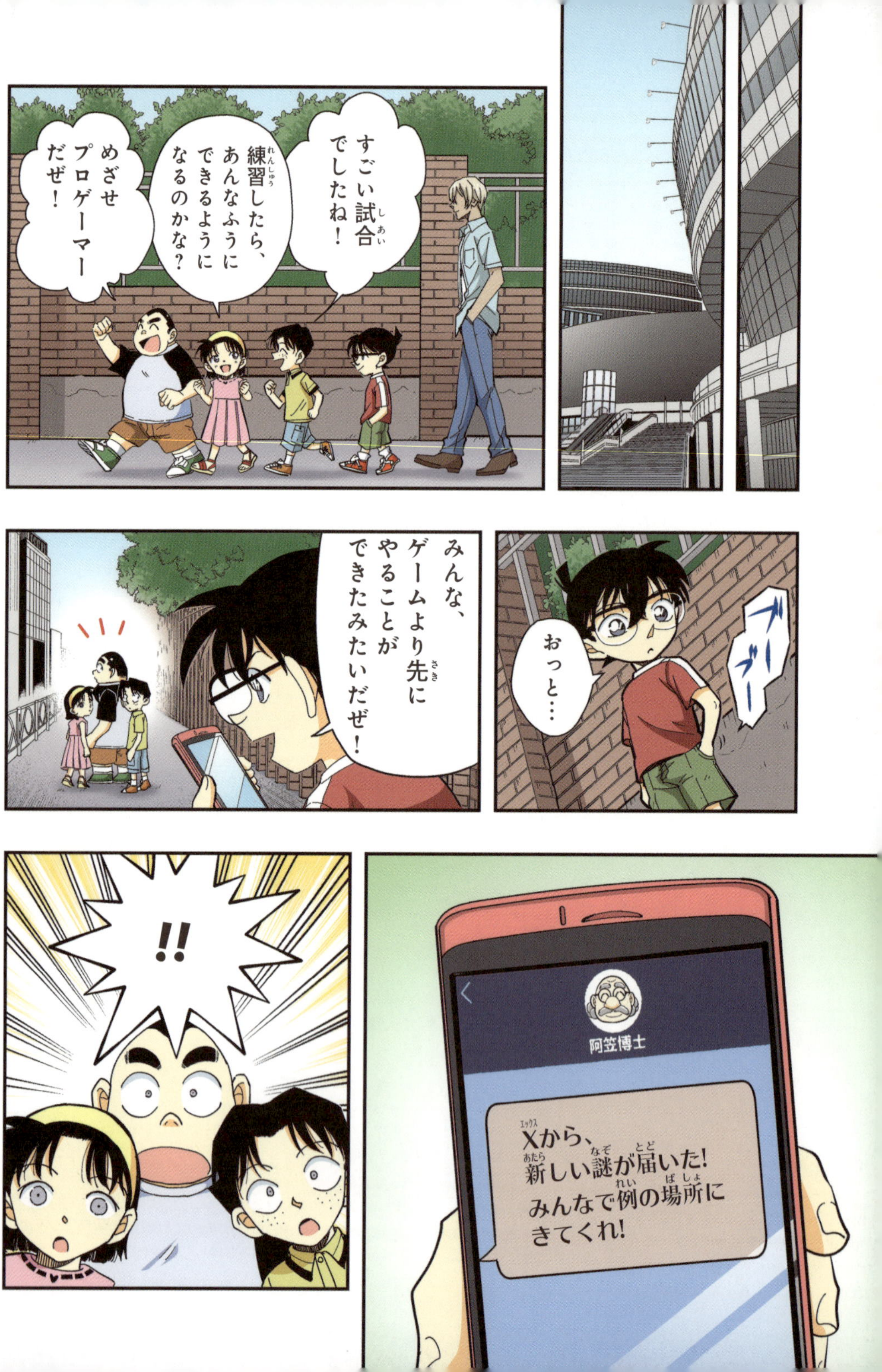
すごい試合《しあい》でしたね！
練習《れんしゅう》したら、あんなふうにできるようになるのかな？
めざせプロゲーマーだぜ！
ブーブー
おっと…
みんな、ゲームより先《さき》にやることができたみたいだぜ！
阿笠博士
X《エックス》から、新《あたら》しい謎《なぞ》が届《とど》いた! みんなで例《れい》の場《ば》所《しょ》にきてくれ!
!!

いこうぜ！
うん！
世界《せかい》の歴史《れきし》がボク達《たち》の肩《かた》にかかっていますからね！
ワーッ
また何《なに》か始《はじ》まったのかな？
まあね！

今回《こんかい》のテーマは、遊《あそ》びやスポーツの歴史《れきし》だよ!!
WORLD ATLAS
WORLD ATLAS
古代《こだい》エジプトのスポーツ
人《ひと》びとは、いつも楽《たの》しみを求《もと》めてきた！
時代《じだい》や場所《ばしょ》が変《か》わっても、遊《あそ》びやスポーツはいつも人間《にんげん》とともにあったぞ！
江戸時代《えどじだい》の子《こ》ども達《たち》の遊《あそ》び
「綱引《つなひ》き」は、神話《しんわ》の中《なか》にも出《で》てくる古《ふる》い遊《あそ》びだ！
ヒンズー教《きょう》の神話《しんわ》の綱引《つなひ》き
人類《じんるい》の歴史《れきし》のはじめから、遊《あそ》びやスポーツはあった！

遊《あそ》びとスポーツは世界《せかい》を結《むす》ぶ!!
第《だい》1回《かい》オリンピック
世界《せかい》をひとつにするスポーツの祭典《さいてん》!
世界《せかい》の文化《ぶんか》が交《まじ》わって、新《あたら》しい遊《あそ》びやスポーツが生《う》まれたんだ!
うんすんカルタ
ヨーロッパのカードゲームが、日本《にっぽん》のカルタに!
日本《にっぽん》の柔道《じゅうどう》が、世界《せかい》の「JUDO《ジュードー》」に!
嘉納治五郎《かのうじごろう》
いまも進化《しんか》し続《つづ》ける遊《あそ》びやスポーツ…
人間《にんげん》はなぜ、楽《たの》しみを求《もと》め続《つづ》けるのだろう?
さあ、遊《あそ》びやスポーツの歴史《れきし》の謎《なぞ》を追《お》う時間冒険《タイムドリフト》に出発《しゅっぱつ》だ!!
e《イー》スポーツ

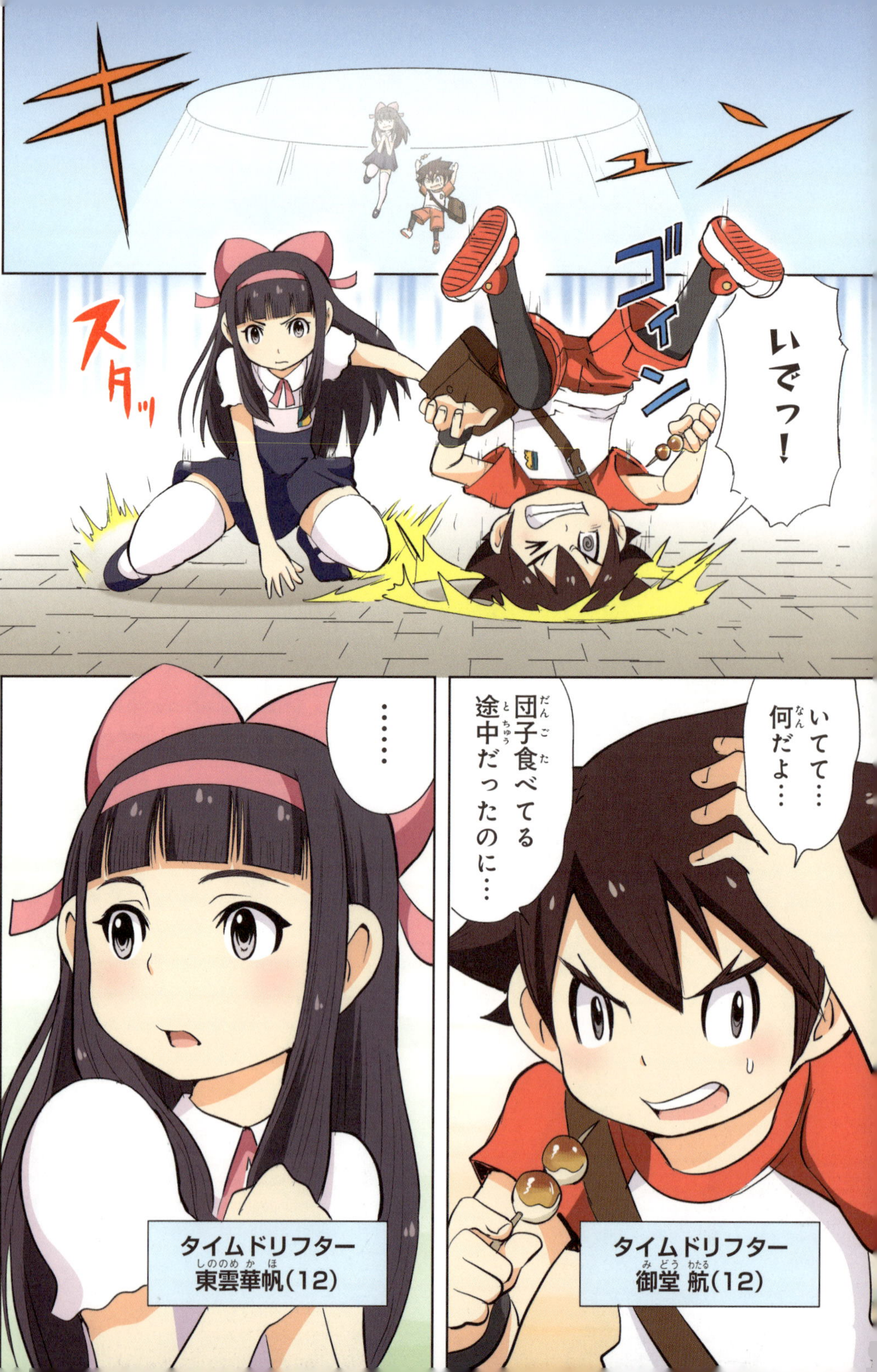
キュン
ゴィーン
スタッ
いでっ！
いてて…何《なん》だよ…
団子《だんご》食《た》べてる途中《とちゅう》だったのに…
タイムドリフター
御堂《みどう》 航《わたる》(12)
……
タイムドリフター
東雲《しののめ》華《か》帆《ほ》(12)

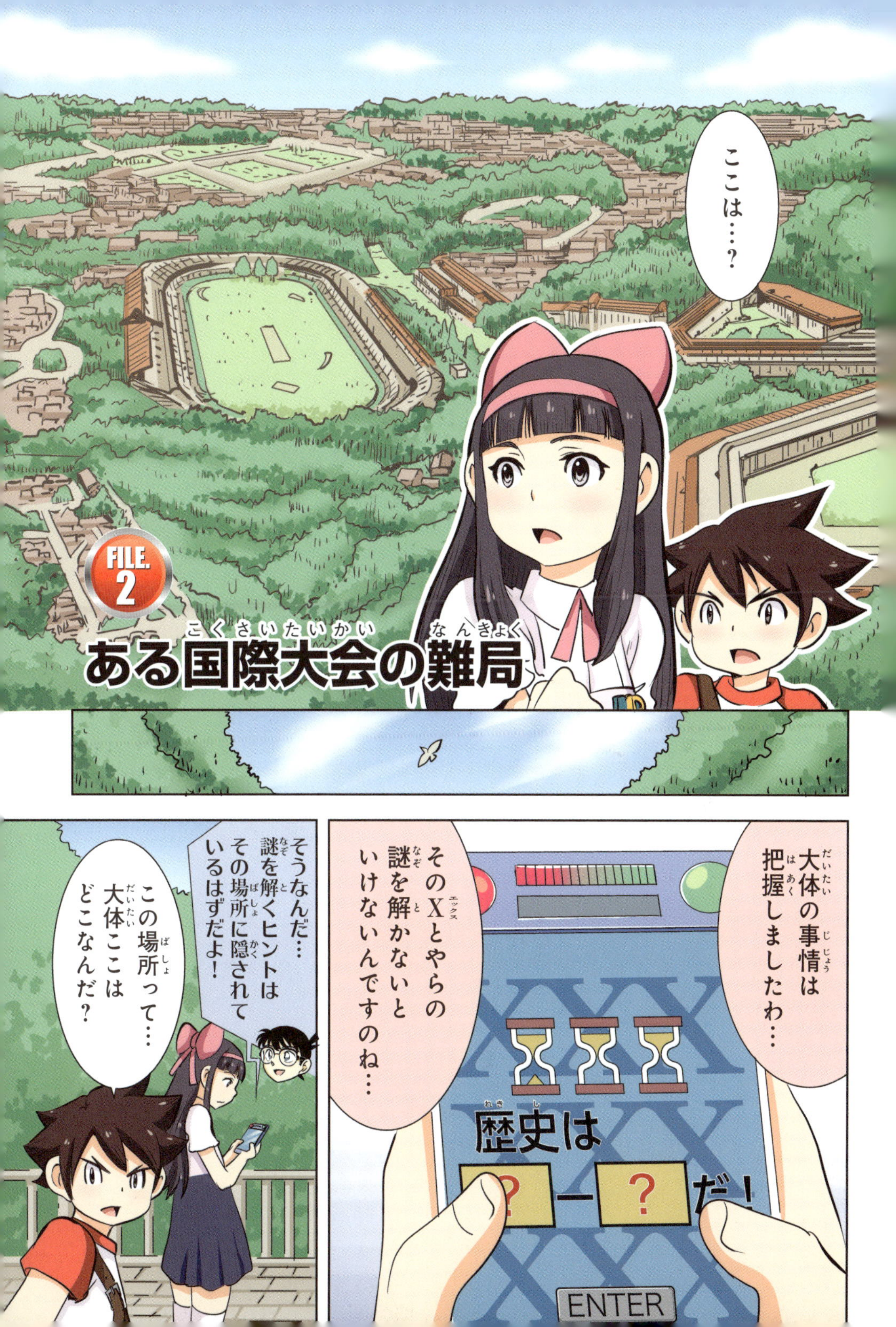
ここは…？
FILE. 2
ある国際大会《こくさいたいかい》の難局《なんきょく》
大体《だいたい》の事情《じじょう》は把握《はあく》しましたわ…
そのX《エックス》とやらの謎《なぞ》を解《と》かないといけないんですのね…
歴史《れきし》は
？－？だ！
ENTER
そうなんだ…謎《なぞ》を解《と》くヒントはその場所《ばしょ》に隠《かく》されているはずだよ！
この場所《ばしょ》って…大体《だいたい》ここはどこなんだ？

東京《とうきょう》タワー？ってことは、ここは日本《にっぽん》か…？
違《ちが》いますわ…あれはエッフェル塔《とう》！つまり、ここはフランスですわ！
わあ
あ
!?
あ
あ
あ
何《なん》だ？何《なん》か盛《も》り上《あ》がってるみたいだけど…
あ！
その理由《りゆう》はアレですわ!!
Jeux olympiqu

Jeux olympiques
Paris 1900
何《なん》て書《か》いてあるんだ？
パリオリンピックだよ！
そこは1900年《ねん》のパリオリンピックの会場《かいじょう》みたいだね！
タタタ
いったいどうしてこんなところに…
困《こま》った——…
困《こま》ったぞ〜〜…
御《み》堂《どう》君《くん》、あぶな…!!
うわ！
ドン
いてて…
す、すまない！
つい、よそ見《み》をしてしまって…

だいじょうぶかい？
オレは平気《へいき》だけど、どうかしたの？
実《じつ》は……
オリンピックが大《だい》ピンチなんだ……!!
大《だい》ピンチ!?
何《なに》が大《だい》ピンチなの？
それは…
綱《つな》引《ひ》きだ！
え？
綱《つな》を引《ひ》っ張《ぱ》り合《あ》う…あの…？
そうだ！
オリンピックで綱《つな》引《ひ》き？
ウソでしょ!?
何《なに》を言《い》う!!綱《つな》引《ひ》きこそ…
オリンピックの花形《はながた》になるべき種目《しゅもく》さ！
ムリムリムリムリ！
…いいか！

綱《つな》引《ひ》きには、スポーツで大切《たいせつ》なものがすべて詰《つ》まっているんだ!!
その証拠《しょうこ》に綱《つな》引《ひ》きは数千年前《すうせんねんまえ》から…
それよりどうして…
綱《つな》引《ひ》きがピンチなんですの？
うむ…出場《しゅつじょう》を予定《よてい》していたチームが…
急《きゅう》に棄権《きけん》してしまったんだ…
開催《かいさい》を楽《たの》しみにしていたファンを…
このままではガッカリさせてしまう…
何《なん》とか、綱《つな》引《ひ》きに参加《さんか》してくれる選手《せんしゅ》を見《み》つけたいが…
さっきから断《ことわ》られてばかりなんだ…
それは大変《たいへん》ですわね…
よし、手伝《てつだ》ってやろうぜ!!
ですが、謎解《なぞと》きが…
えー!!

…とはいっても、困《こま》っている人《ひと》を放《ほう》ってはおけませんわ！
よし!! そうこなくっちゃ！
ってことで、オレ達《たち》が人集《ひとあつ》め手伝《てつだ》ってやるぜ！
ほ、ほんとうかい？ ありがとう!!
ああ…そういえば自己紹介《じこしょうかい》がまだだったね…
コホン
私《わたし》はクーベルタン…
この大会《たいかい》の会長《かいちょう》だ!!
えーっ!!
あの有名《ゆうめい》な男爵《だんしゃく》ー!?
国際《こくさい》オリンピック委員会第《いいんかいだい》２代会長《だいかいちょう》
ピエール・ド・クーベルタン

コナン！何《なん》か怪《あや》しくねぇか？
ええ！綱引《つなひ》きがオリンピック種目《しゅもく》だなんて！
X《エックス》が歴史《れきし》をねじ曲《ま》げようとしているんじゃ!?
歩美《あゆみ》もそう思《おも》う！
いや…綱引《つなひ》きはオリンピック種目《しゅもく》だぜ！
ええー‼
やったのはたった5回《かい》だけどな…
つまり、このクーベルタン男爵《だんしゃく》は…
ああ…本物《ほんもの》のはずだ…
どこかに手《て》がかりはあるはずだ…たどり着《つ》いてやるぜ、謎《なぞ》の答《こた》えに…‼

Jeux olympiques
Paris 1900
ドッ
わぁぁ
アーチェリー
あの…綱《つな》引《ひ》きに興味《きょうみ》はございませんか？
ないね！
あの——!!
綱《つな》引《ひ》きに興味《きょうみ》は——…
ないよ——！
ボート

あの！綱《つな》引《ひ》きに興味《きょうみ》はございま…
ございません！
フェンシング
えーっと…綱《つな》引《ひ》きに興《きょう》…
ないよ！
クリケット
綱《つな》…
ない！
水泳《すいえい》
……
陸上《りくじょう》

ダメだー!!
バタム
もう疲《つか》れた…
団子《だんご》食《た》べて…
出直《でなお》そ…
ハァ
キミ…
?
どうかしたのかい?
陸上選手《りくじょうせんしゅ》
オイゲン・シュミット

なるほど…選手集《せんしゅあつ》めか…
ハムハム
でもだれも興味《きょうみ》ないみたい…
よし！
だったらボクが出《で》てあげよう！
!!
マジ!?
ああ！
ただし……
ハァハァ
？

それをくれたらね！
この団子《だんご》を？
ハァ ハァ
だって…あまりにもおいしそうだから…
大好物《だいこうぶつ》なのにぃ…
ハフー ハフー
そこを何《なん》とか…
あーもう分《わ》かった!!あげる!!
バッ
やった！
それでは交渉成立《こうしょうせいりつ》だ!!

う〜ん…
オリンピック
綱引《つなひ》き会場《かいじょう》
もう時間切《じかんぎ》れか…
おーい！
タ
タ
タ
タ
お待《ま》たせしました!!
集《あつ》めてきたぜー!!
私《わたくし》もです!!
ポワーン

いったいどうやって!?
ハム
ハム
ハムン
みんな、団子《だんご》と交換《こうかん》で参加《さんか》してくれるって!
なぁ、華帆《かほ》はどうやって集《あつ》めてきたんだ?
私《わたくし》はただお願《ねが》いしただけですわ!
ね♥
ポワ
ポワ
ポワワーン
よし! それではデンマーク選手《せんしゅ》3人《にん》…
スウェーデン選手《せんしゅ》3人《にん》…
デンマーク・スウェーデン合同《ごうどう》チームのできあがりだ!!
やった!!

さて…
ここはひとつ、一度《いちど》練習試合《れんしゅうじあい》をしてみようじゃないか！
よろしくお願《ねが》いします！
寄《よ》せ集《あつ》めのチームでしょ…
オレ達《たち》が勝《か》つに決《き》まってる…時間《じかん》のムダですよ！
勝負《しょうぶ》に…
絶対《ぜったい》はないぞ！
しかたないですねえ…
どちらが勝《か》つかしら？
合同《ごうどう》チーム…と言《い》いたいけど、
ズブの素人《しろうと》だしな…
両者《りょうしゃ》、位置《いち》について！
よーい…
始《はじ》め!!

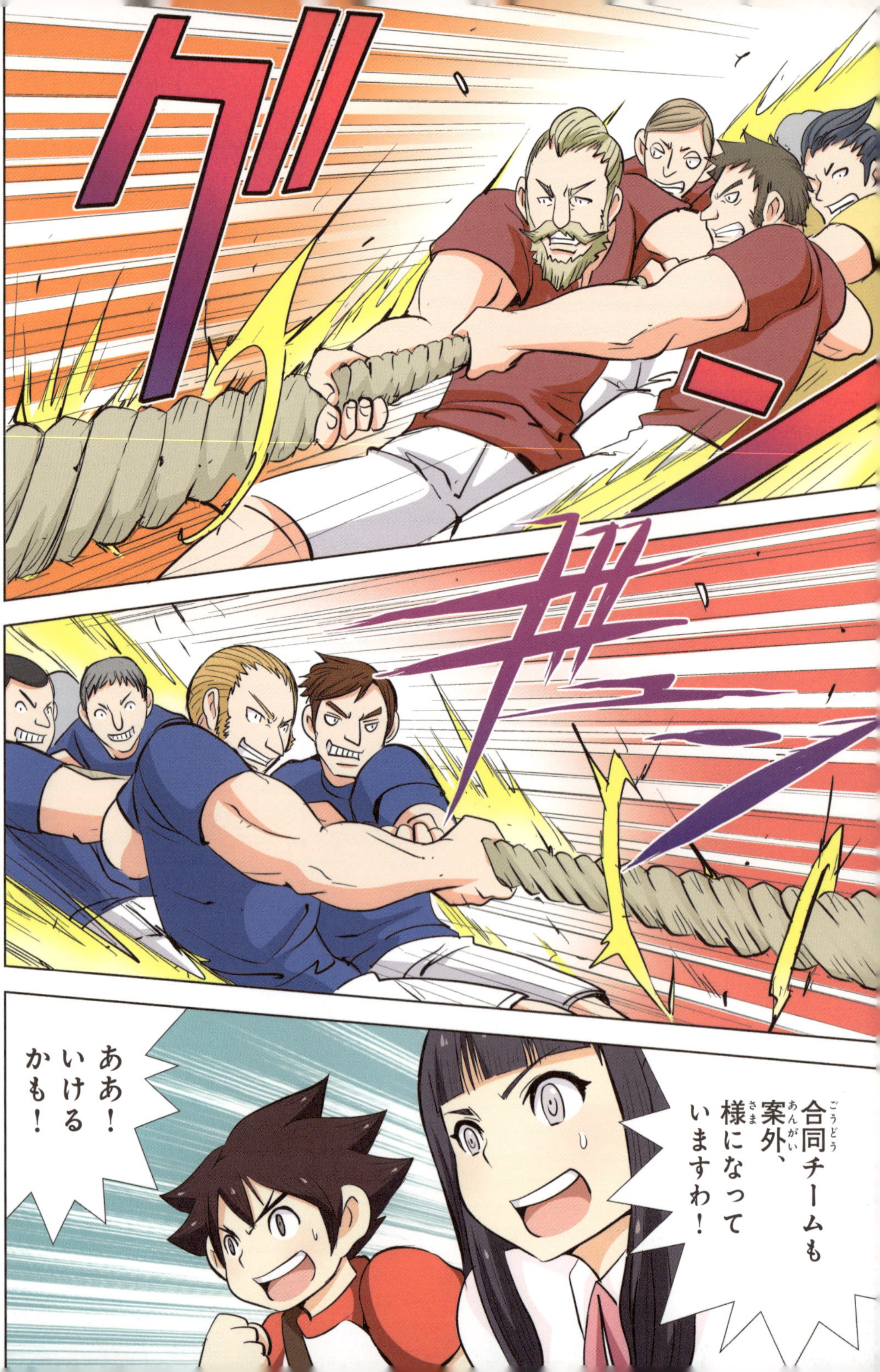
合同《ごうどう》チームも案外《あんがい》、様《さま》になっていますわ！
ああ！いけるかも！

引《ひ》っ張《ぱ》れ、引《ひ》っ張《ぱ》れ！
グーン グーン
ギューン
ギューン
オーエス!!
よいしょ！よいしょ！
グーン
グーン
そーれ！そーれ！
オーエス！
ギューン
オーエス！
ギューン
オーエス！
フランスは、チームの呼吸《こきゅう》がぴったり…
対《たい》する合同《ごうどう》チームは…
ギューン
ギューン
みんなバラバラだ…
あっ！
ドザザザー

Jeux olympiques Paris 1900
お疲《つか》れさまでした…
面目《めんぼく》ない…はは…
まあ、はじめてだし…しかたないんじゃね？
御堂君《みどうくん》！がんばった選手達《せんしゅたち》に失礼《しつれい》ですわよ！
はは…
だって！
ん？
何《なん》だ、これ？
!!
シュミットさん、それ見《み》せてください!!
あ、ああ…

Jeux olympiques Paris 1900
おい…これって！
輝《かがや》く1等《とう》に導《みちび》け！
答《こた》えはその先《さき》に！
X《エックス》
X《エックス》からの謎《なぞ》解《と》きのヒントみたいですわね！
〝輝《かがや》く1等《とう》に導《みちび》け〟って…合同《ごうどう》チームを…
優勝《ゆうしょう》させろということのようですわね…

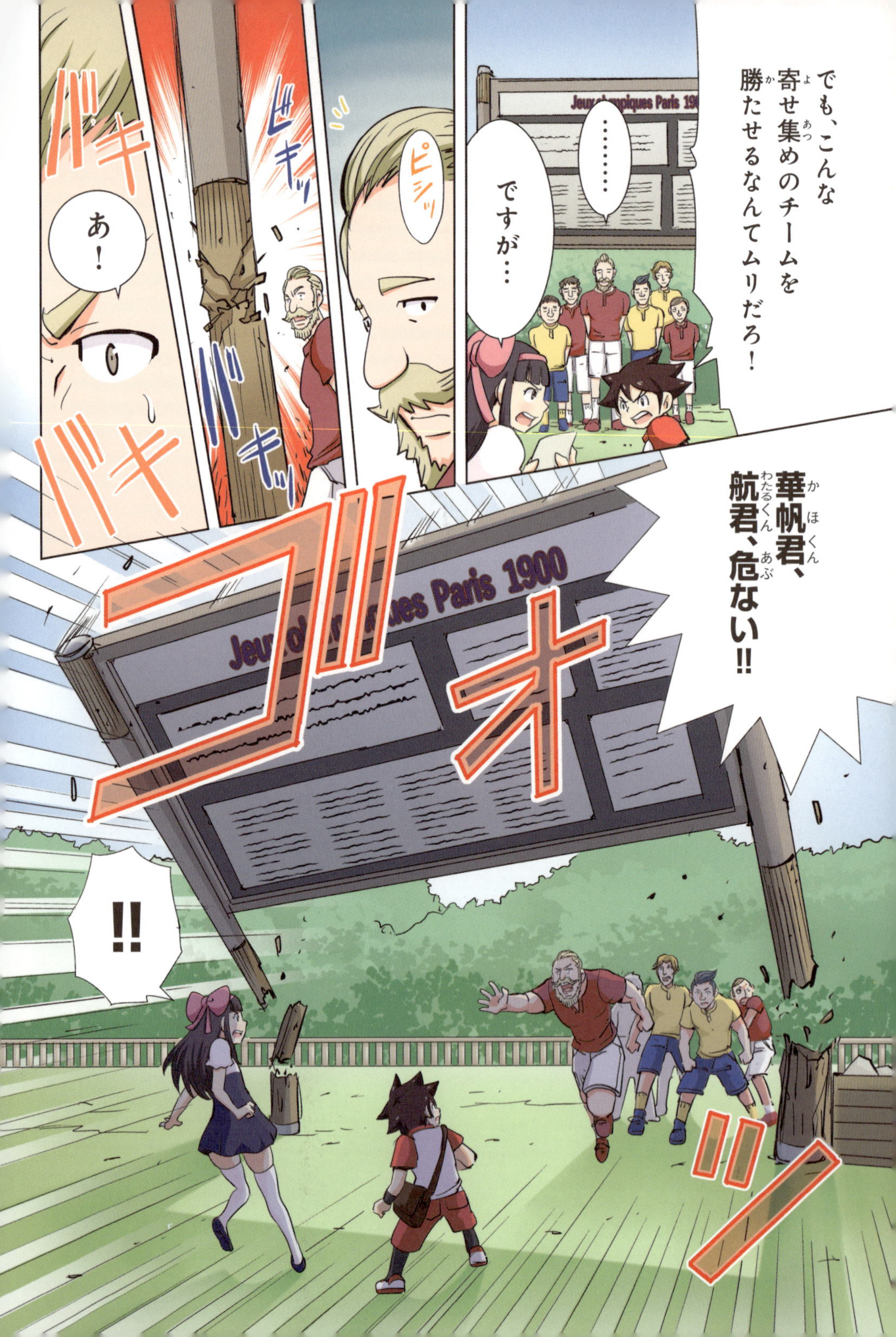
でも、こんな寄《よ》せ集《あつ》めのチームを勝《か》たせるなんてムリだろ！
Jeux olympiques Paris 190
………
ですが…
ピシッ
ビキッ
バキッ
バキ
あ！
バキ
華《か》帆《ほ》君《くん》、航《わたる》君《くん》、危《あぶ》ない!!
ゴオ
ッ
!!

カッ
ズドン
ふ…
ゴオォオオ
2人《り》が…
消《き》えた!!

コナンの推理《すいり》NOTE《ノート》

動物《どうぶつ》も遊《あそ》ぶ、人間《にんげん》も遊《あそ》ぶ!?
「遊《あそ》び」は生《い》きる力《ちから》の源《みなもと》だ！

「遊《あそ》び」は、私達《わたしたち》が生《い》きていくために欠《か》かせない、大切《たいせつ》な活動《かつどう》だ！

昔《むかし》から「遊《あそ》びは子《こ》どもの仕事《しごと》」といわれてきた。子《こ》どもの成長《せいちょう》にとって、遊《あそ》びが欠《か》かせない活動《かつどう》だからだ。でも、おとなだって遊《あそ》んでいるし、動物《どうぶつ》だって遊《あそ》ぶことがある。そもそも「遊《あそ》び」って何《なん》だろう？　どうして世《よ》の中《なか》には、数《かぞ》えきれないほど多《おお》くの「遊《あそ》び」があるのだろう？　とても身《み》近《ぢか》な存在《そんざい》だけれど、謎《なぞ》に満《み》ちている「遊《あそ》び」について考《かんが》えてみよう。

遊《あそ》びの歴史《れきし》を知《し》ることは、オレ達《たち》、人間《にんげん》の歴史《れきし》を知《し》ることだ！

> ニホンザルやチンパンジーなどの霊長類《れいちょうるい》の中《なか》には、人間《にんげん》と同《おな》じように道具《どうぐ》を使《つか》ったり、一定《いってい》のルールにのっとったりして遊《あそ》ぶ動物《どうぶつ》もいるんじゃよ。

動物《どうぶつ》も人間《にんげん》も「遊《あそ》び」から学《まな》んでいる！

追《お》いかけっこ

くすぐりっこ

動物《どうぶつ》の遊《あそ》び

野生動物《やせいどうぶつ》を観察《かんさつ》すると、人間《にんげん》と同《おな》じように遊《あそ》ぶ子《こ》ども（幼獣《ようじゅう》）の姿《すがた》が見《み》られる。これは、狩《か》りや群《む》れで生《い》きるために“必要《ひつよう》な”ことを身《み》につける行動《こうどう》だ。そのため動物《どうぶつ》は、おとな（成獣《せいじゅう》）になると遊《あそ》ばなくなる。

人間《にんげん》と同《おな》じように遊《あそ》んでいるな！

人間《にんげん》と動物《どうぶつ》の遊《あそ》びの違《ちが》いは、どこにあるんだろう？

人間《にんげん》の遊《あそ》び

ほかの動物《どうぶつ》と違《ちが》い、人間《にんげん》はおとなも子《こ》どもも遊《あそ》ぶ。生《い》きるために“必要《ひつよう》な”だけでなく、遊《あそ》びを“楽《たの》しむ”のが人間《にんげん》の特徴《とくちょう》だ。生活《せいかつ》を楽《たの》しむこと、つまり「文化《ぶんか》」は、遊《あそ》びから生《う》まれ、発展《はってん》してきたのだ。

人間《にんげん》の文化《ぶんか》は遊《あそ》びにおいて、遊《あそ》びとして、成立《せいりつ》し、発展《はってん》した。
歴史学者《れきしがくしゃ》ヨハン・ホイジンガ（※）

※ヨハン・ホイジンガ……オランダの歴史学者《れきしがくしゃ》。人間《にんげん》の文化《ぶんか》と遊《あそ》びを研究《けんきゅう》し『ホモ・ルーデンス（遊《あそ》ぶ人《ひと》）』（1938年《ねん》）を著《あらわ》した。

遊《あそ》びは大《おお》きく4つに分《わ》けられる！

遊《あそ》びが、やらなければならない「仕事《しごと》」だとしたら、きっと楽《たの》しくない。カイヨワは、「遊《あそ》び」とは、だれかに強制《きょうせい》されるものではなく、まったく自由《じゆう》なものであり、そして喜《よろこ》びと楽《たの》しみをもたらすものだ、と考《かんが》えた。さらにカイヨワは、人間《にんげん》の遊《あそ》びは4つに分類《ぶんるい》できると説《と》いた。それが「競争《きょうそう》」「運《うん》だめし」「ものまね」「めまい」だ。

遊《あそ》びは自由《じゆう》で
任意《にんい》の活動《かつどう》であり
喜《よろこ》びと楽《たの》しみとの
源《みなもと》である。

社会学者《しゃかいがくしゃ》
ロジェ・カイヨワ(※)

競争《きょうそう》

スポーツやゲームなどで、力《ちから》を競《きそ》い合《あ》う。

運《うん》だめし

じゃんけんやクジなどで、運《うん》だめしをする。

ものまね

演劇《えんげき》やママゴトなどで、別《べつ》のだれかになりきる。

めまい

ブランコやジェットコースターなどで、スリルを味《あじ》わう。

※ロジェ・カイヨワ……フランスの社会学者《しゃかいがくしゃ》。人間《にんげん》と遊《あそ》びの関係《かんけい》を研究《けんきゅう》し『遊《あそ》びと人間《にんげん》』（1958年《ねん》）を著《あらわ》した。

スポーツは、狩《か》りと戦《たたか》いから生《う》まれた！

古代文明《こだいぶんめい》のスポーツ

スポーツの始《はじ》まりは、狩《か》りや戦《たたか》いの技術《ぎじゅつ》の訓練《くんれん》にあった。約《やく》4000年前《ねんまえ》の古代《こだい》エジプトの浮《う》き彫《ぼ》り（上《うえ》）には、アーチェリーやレスリング、棒術《ぼうじゅつ》など、さまざまな訓練《くんれん》をする兵士《へいし》の姿《すがた》が刻《きざ》まれている。こうした活動《かつどう》から、やがて決《き》められたルールのもとで競《きそ》い合《あ》う競技《きょうぎ》としてのスポーツが生《う》まれたのだ。約《やく》3000年前《ねんまえ》の古代《こだい》メソポタミアでは、ライオン狩《が》り（下《した》）が、王族《おうぞく》にのみ許《ゆる》された高貴《こうき》な遊《あそ》びとされていたぞ。

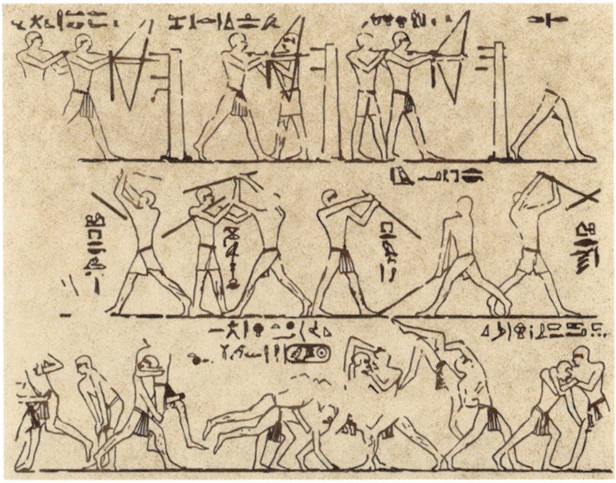

人間《にんげん》は、「遊《あそ》び」を求《もと》めて文化《ぶんか》を発展《はってん》させてきたんだ！

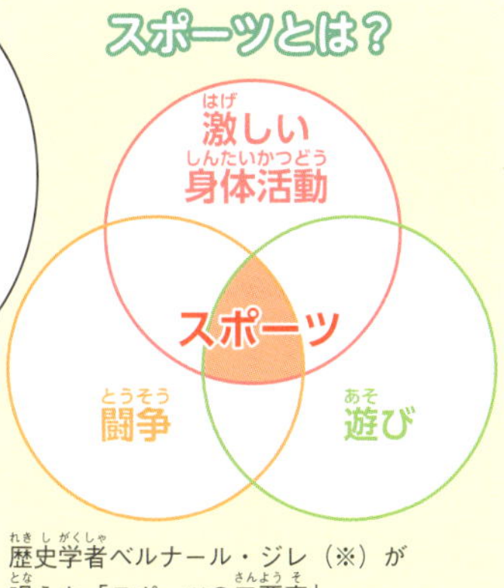
スポーツとは？
激《はげ》しい身体活動《しんたいかつどう》
スポーツ
闘争《とうそう》
遊《あそ》び

歴史学者《れきしがくしゃ》ベルナール・ジレ（※）が唱《とな》えた「スポーツの三要素《さんようそ》」。

「スポーツ」にはさまざまな種類《しゅるい》があるが、「スポーツ」という言葉《ことば》はもともと「遊《あそ》び、ゲーム」、「からだを使《つか》って楽《たの》しむ活動《かつどう》」、とくに「狩《か》り」を意味《いみ》しておったぞ。

※ベルナール・ジレ……フランスの歴史学者《れきしがくしゃ》。『スポーツの歴史《れきし》』（1952年《ねん》）を著《あらわ》し、スポーツとは何《なに》かを定義《ていぎ》した。

コナンの推理《すいり》NOTE《ノート》

神話《しんわ》の時代《じだい》からあった!? 世界共通《せかいきょうつう》の「綱引《つなひ》き」文化《ぶんか》!

身近《みぢか》な「綱引《つなひ》き」に隠《かく》された、深《ふか》くて長《なが》い歴史《れきし》を調《しら》べてみよう!

運動会《うんどうかい》の定番種目《ていばんしゅもく》「綱引《つなひ》き」は、神様《かみさま》にお祈《いの》りする行事《ぎょうじ》だった!

「綱《つな》引《ひ》き」の歴史《れきし》はとても古《ふる》く、大昔《おおむかし》から世界各地《せかいかくち》でさまざまな綱《つな》を引《ひ》く行事《ぎょうじ》が行《おこな》われてきた。もともと綱引《つなひ》きはスポーツではなく、神《かみ》の前《まえ》で力比《ちからくら》べをすることで、豊作《ほうさく》を祈《いの》ったり、争《あらそ》いごとに決着《けっちゃく》をつけたりする儀式《ぎしき》「神事《しんじ》」だったのだ。スポーツの中《なか》には、綱引《つなひ》きと同《おな》じように「神《しん》事《じ》」から発展《はってん》し、やがて人《ひと》びとの娯楽《ごらく》になったものが多《おお》いんだ。

遺跡《いせき》に残《のこ》る神《かみ》と悪魔《あくま》の「綱引《つなひ》き」

ビシュヌ神《しん》
悪魔《あくま》チーム
神《かみ》がみチーム
綱《つな》（大蛇《だいじゃ》バースキ）
マンダラ山《さん》

アンコール・ワット

上《うえ》のイラストは、カンボジア寺院遺跡《じいんいせき》アンコール・ワット（12～15世紀《せいき》）に残《のこ》る浮《う》き彫《ぼ》りだ。ヒンズー教《きょう》の天地創造神話《てんちそうぞうしんわ》「乳海攪拌《にゅうかいかくはん》」の一場面《いちばめん》をあらわしたもので、神《かみ》がみと悪魔《あくま》（アスラ）がマンダラ山《さん》に綱《つな》（大蛇《だいじゃ》バースキ）をからませ、それを引《ひ》き合《あ》うことで海《うみ》をかき混《ま》ぜている。ヒンズー教《きょう》では、その海《うみ》の中《なか》から太陽《たいよう》や月《つき》など、さまざまなものが生《う》まれたとされている。この世界《せかい》の誕生《たんじょう》にも「綱引《つなひ》き」がかかわっていたのだ！

島根県《しまねけん》の一部《いちぶ》は、綱引《つなひ》きから生《う》まれた？

出《いず》雲国《ものくに》（島根県東部《しまねけんとうぶ》）の神話《しんわ》や歴史《れきし》を記《しる》した古代《こだい》の書物《しょもつ》『出《いず》雲国風土記《ものくにふどき》』には、「国引《くにび》き神話《しんわ》」と呼《よ》ばれる神話《しんわ》が記《しる》されている。出《いず》雲国《ものくに》をつくったとき、その土地《とち》がとてもせまかったので、海《うみ》の向《む》こうのあまった土地《とち》に綱《つな》をかけて引《ひ》き寄《よ》せたというのだ。『出雲国風土記《いずものくにふどき》』では、そうしてつぎ足《た》されたのが、現在《げんざい》の島根半島《しまねはんとう》になったとされている。

『出雲国風土記《いずものくにふどき》』によれば、出雲国《いずものくに》のせまさを嘆《なげ》いた神様《かみさま》・八束水臣津野命《やつかみずおみつぬのみこと》が、海《うみ》の向《む》こうの大陸《たいりく》などから土地《とち》を切《き》り取《と》り、太《ふと》い綱《つな》で引《ひ》き寄《よ》せたという。

平安時代《へいあんじだい》の歌謡集《かようしゅう》『梁塵秘抄《りょうじんひしょう》』には、「遊《あそ》びをせんとや生《う》まれけむ」から始《はじ》まる歌《うた》が収《おさ》められておる。「私《わたし》は遊《あそ》びをするために生《う》まれてきた」という意味《いみ》じゃ。

古今東西《ここんとうざい》、これが世界《せかい》の綱引《つなひ》きだ！

綱《つな》が１本《ぽん》あればできる綱引《つなひ》きは、ルールも簡単《かんたん》で勝敗《しょうはい》が分《わ》かりやすい。そのため古《ふる》くから世界各地《せかいかくち》で、遊《あそ》びやスポーツとして人《ひと》びとに楽《たの》しまれてきた。時代《じだい》も地域《ちいき》も違《ちが》う絵画《かいが》に描《えが》かれた、いろいろな綱引《つなひ》きの様子《ようす》を見《み》てみよう。

中世《ちゅうせい》ヨーロッパ（16世紀《せいき》）

オランダの画家《がか》ブリューゲルの作品《さくひん》「子《こ》どもの遊戯《ゆうぎ》」（1560年《ねん》）に描《えが》かれた綱引《つなひ》き。

古代《こだい》エジプト（紀元前《きげんぜん》3000年《ねん》）

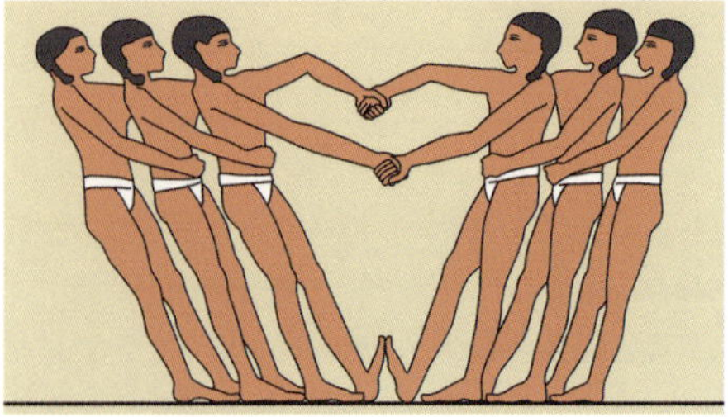

古代《こだい》エジプトの「綱引《つなひ》き」。綱《つな》は使《つか》っていないが、綱引《つなひ》きの原型《げんけい》のひとつとされている。

室町時代《むろまちじだい》の日本《にっぽん》（16世紀《せいき》）

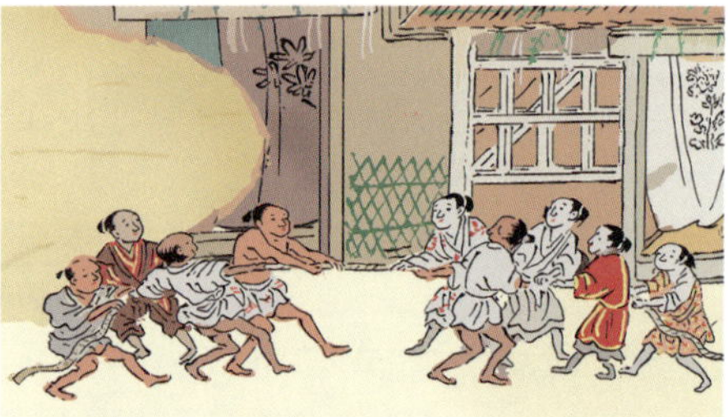

室町時代《むろまちじだい》の京都《きょうと》の様子《ようす》を描《えが》いた「洛中洛外図屏風《らくちゅうらくがいずびょうぶ》」の中《なか》に見《み》られる正月《しょうがつ》の綱引《つなひ》き行事《ぎょうじ》。

世界文化遺産《せかいぶんかいさん》になったアジア4か国《こく》の綱引《つなひ》き

豊《ほう》作《さく》を祈《いの》る行事《ぎょうじ》として行《おこな》われる綱引《つなひ》きは、アジア各地《かくち》の稲作《いなさく》文化圏《ぶんかけん》に共通《きょうつう》する文化《ぶんか》だ。２０１５年《ねん》には、韓国《かんこく》、ベトナム、カンボジア、フィリピンの４か国《こく》が共同《きょうどう》で申《しん》請《せい》した「綱引《つなひ》きの儀礼《ぎれい》と遊戯《ゆうぎ》」が、ユネスコ無形文化遺産《むけいぶんかいさん》に登録《とうろく》された。イラストの上《うえ》が韓国《かんこく》、下《した》がベトナムの綱引《つなひ》きだ。同《おな》じ「綱引《つなひ》き」でも、それぞれの国《くに》の特徴《とくちょう》がある。

世界最大《せかいさいだい》の綱引《つなひ》きは沖縄《おきなわ》にあり！

那覇大綱挽《なはおおつなひき》

綱《つな》引《ひ》きの伝統行事《でんとうぎょうじ》は日本全国《にっぽんぜんこく》に残《のこ》っているが、中《なか》でも沖縄県《おきなわけん》の「那覇大綱挽《なはおおつなひき》」は「世界最大《せかいさいだい》の綱《つな》引《ひ》き」として有名《ゆうめい》だ。綱《つな》の長《なが》さは全長《ぜんちょう》200m《メートル》、重《おも》さは40t《トン》に達《たっ》し、挽《ひ》き手《て》は1万《まん》5000人《にん》にのぼる。琉球王国時代《りゅうきゅうおうこくじだい》の1450年《ねん》ごろに始《はじ》まった行事《ぎょうじ》で、現在《げんざい》は毎年《まいとし》10月《がつ》に行《おこな》われている。

綱《つな》がすごく太《ふと》いぞ！

綱《つな》引《ひ》きの風習《ふうしゅう》は、日本各地《にっぽんかくち》に残《のこ》っているぞ！

盆綱《ぼんつな》（茨城県《いばらきけん》）

藁《わら》でつくった龍《りゅう》や蛇《へび》を子《こ》ども達《たち》が担《かつ》いで歩《ある》き、先祖《せんぞ》の霊《れい》を送《おく》り迎《むか》えするお盆《ぼん》の行事《ぎょうじ》。茨城県《いばらきけん》や千葉県《ちばけん》、福岡県《ふくおかけん》や佐賀県《さがけん》に残《のこ》っている。

大綱《おおつな》引《ひ》きは沖縄県《おきなわけん》だけでなく全国各地《ぜんこくかくち》で行《おこな》われている。中《なか》でもよく知《し》られているのが、秋田県《あきたけん》の「刈和野《かりわの》の大綱《おおつな》引《ひ》き」「大曲《おおまがり》の大綱《おおつな》引《ひ》き」なんじゃ。

FILE. 3 遊《あそ》んでばかりのバイキング

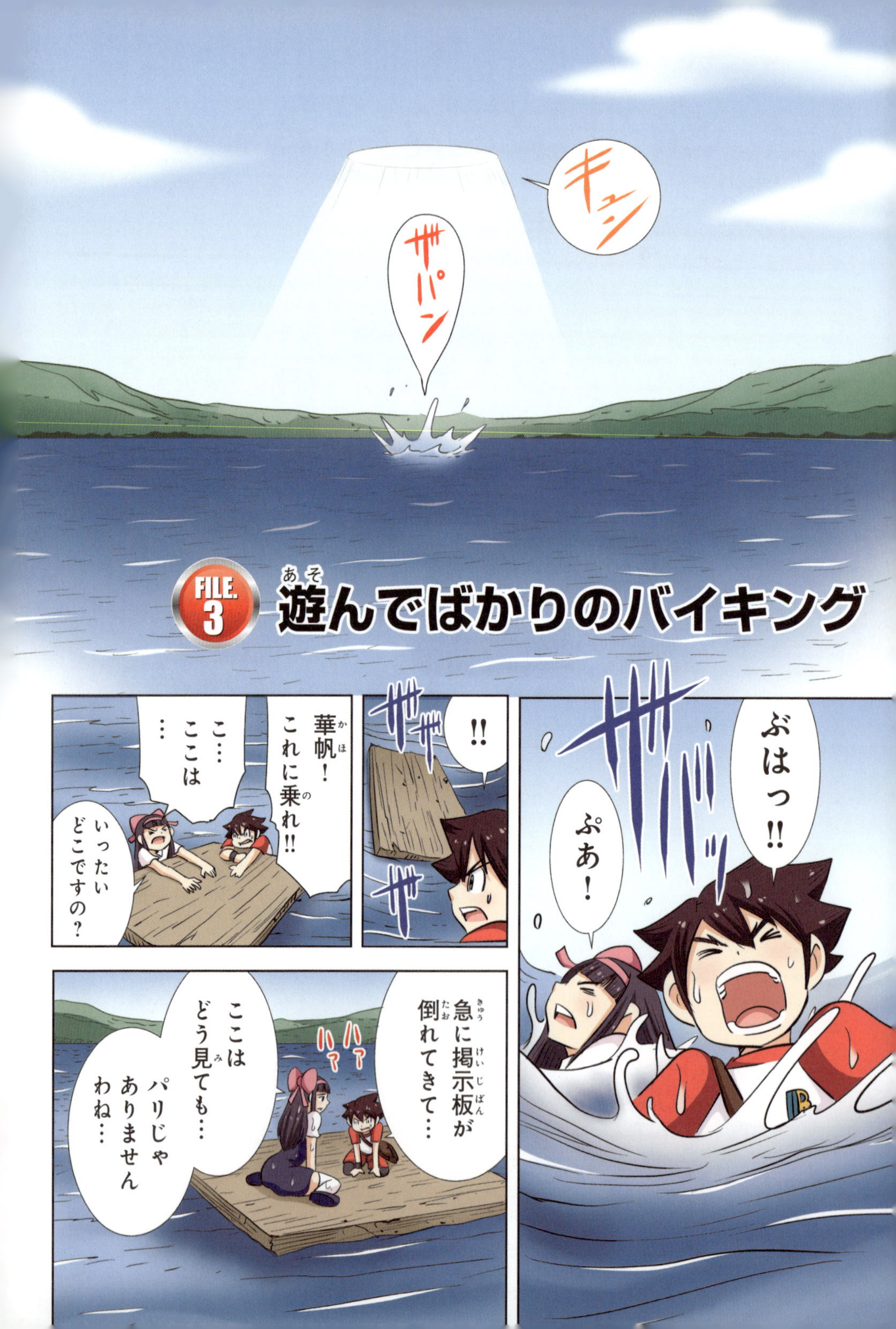

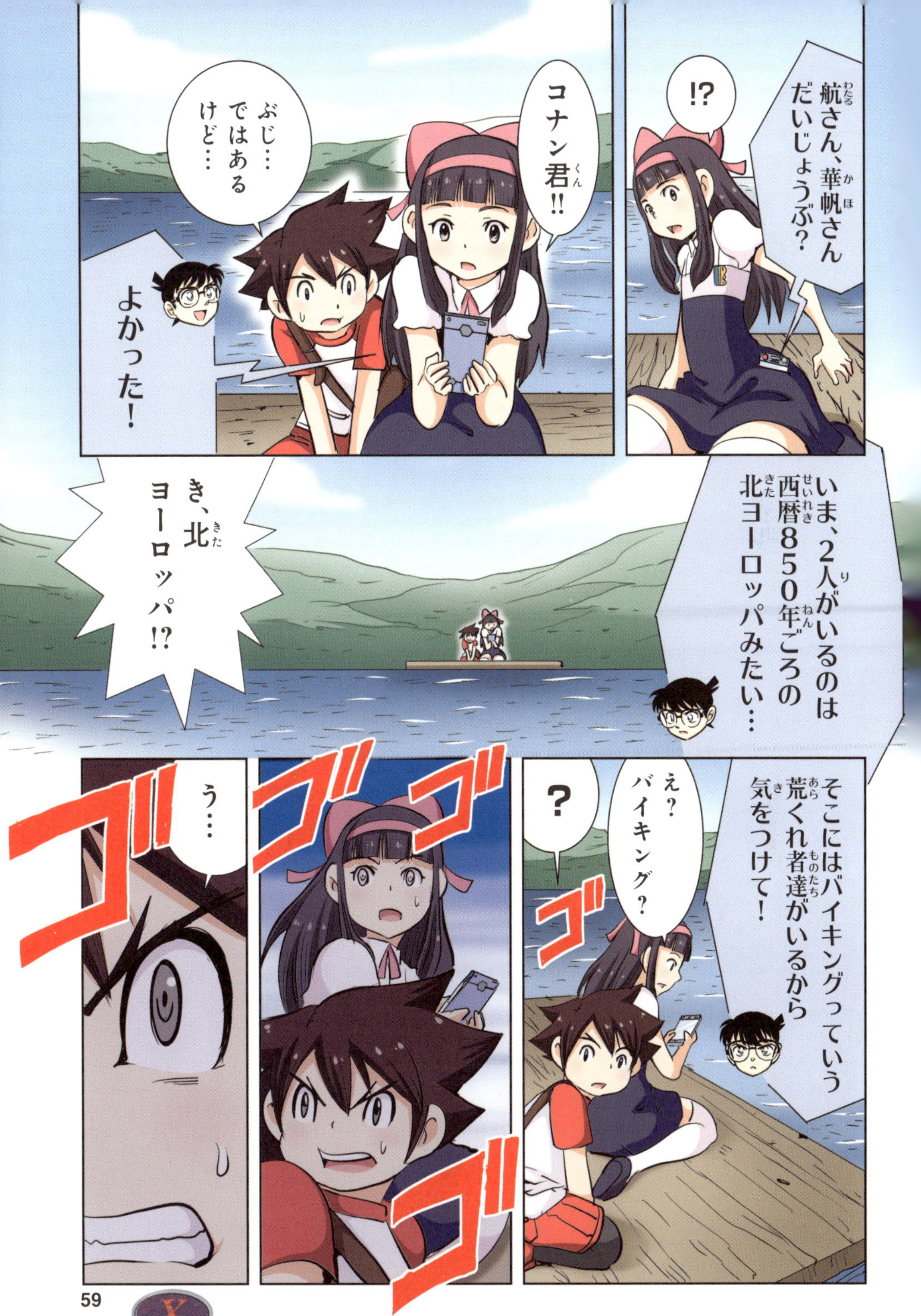
航《わたる》さん、華帆《かほ》さんだいじょうぶ?
!?
コナン君《くん》!!
ぶじ…ではあるけど…
よかった!
いま、2人《り》がいるのは西暦《せいれき》850年《ねん》ごろの北《きた》ヨーロッパみたい…
き、北《きた》ヨーロッパ!?
そこにはバイキングっていう荒《あら》くれ者達《ものたち》がいるから気《き》をつけて!
え?バイキング?
?
ゴ
ゴ
ゴ
う…
ゴ
ゴ

うわああああ!!
ゴ
ゴ

何《なに》すんだよ！
こんなことして許《ゆる》されるとお思《おも》いですの？
随分《ずいぶん》と生意気《なまいき》なガキだな!!
威勢《いせい》がいいのは嫌《きら》いじゃねぇぞ…
副船長《ふくせんちょう》　ニヨルド
ところで…
これは何《なん》だ？
!!
不思議《ふしぎ》な板《いた》だ…
か、返《かえ》せ!!

ビタン
ぐっ!
御堂君《みどうくん》!!
相当大切《そうとうたいせつ》なものらしいな…
もらっておこう!
返《かえ》せよ!!
それがないとオレ達《たち》…
黙《だま》れ!!
ガッ
う!!
シャチのエサになりてえか? ああ?
あわわ…
ぐぐ…
分《わ》かればいいんだよ!
ガハハ!!
何《なん》の騒《さわ》ぎだい?
?
あ…
ザッ

せ…
船長《せんちょう》!!
船長《せんちょう》？
え？女性《じょせい》？
何《なん》だい？女《おんな》だと問題《もんだい》あるのかい？
いえいえいえいえいえいえ!!
ブンブン
それにしても見《み》かけない顔《かお》だねえ…
私達《わたくしたち》はこの時代《じだい》に飛《と》ばされて…
それはかわいそうに…
ええ…だから助《たす》けて…

知《し》ったことじゃないね!!
え？
トン
アンタらは拾《ひろ》われたんだよ！
つまりもうアタシらのもんだ!!
そんな…あんまりですわ!!
グチグチうるさいねぇ…
仲間《なかま》になって働《はたら》くか、シャチのエサになるか…
……
どっちがいいんだい？
そ…
それは…

航《わたる》さん達《たち》、だいじょうぶかな…?
どうかしら…バイキングは勇猛果敢《ゆうもうかかん》な荒《あら》くれ者《もの》って評判《ひょうばん》よ…
それに海《うみ》の王者《おうじゃ》とも呼《よ》ばれたんだ…
幾度《いくど》となく海賊行為《かいぞくこうい》をくり返《かえ》していたらしいからな…
そんな…大変《たいへん》じゃないですか!?
そもそもどうしてバイキングの時代《じだい》に飛《と》ばされたりしたんだ?
?
きっとX《エックス》のしわざだ…いったいどんな思惑《おもわく》で…?

しっかり働《はたら》けよ〜!
新人《しんじん》どもー!!
これからどうするんですの？
どうするも何《なに》も…
ズガー ゴガー
まずはスマタンを取《と》り返《かえ》さないと…
よし!! 見《み》てろ!!
み、御堂君《みどうくん》!!
もうちょっと…
え——っ

!!
おい…
仲間《なかま》の物《もの》を盗《ぬす》む気《き》か…
もともとそれはオレ達《たち》のだ…
返《かえ》せよ!!
おい、お前達《まえたち》!! コイツら裏切《うらぎ》り者《もの》だ!!
裏切《うらぎ》り者《もの》には死《し》だ!!
シャチのエサだ～!
だとよ!
く…
ヒョイ
じゃあな!!
うわああ!!
バタ
バタ
バタ
お待《ま》ちください!!
んぁ?

たしかに盗《ぬす》みはよくないこと…ですが、彼《かれ》は…
自分《じぶん》の物《もの》を取《と》り返《かえ》そうとしただけですわ！
私達《わたくしたち》は悪《わる》くありません！
ほう…
じゃあ、この件《けん》をどうやって……
白黒《しろくろ》つけようか…
ゲームだ――っ!!
え？
ゲーム！
ゲーム!!
よし、ここはゲームで白黒《しろくろ》をつけようじゃねえか…
ゲーム…？
ああ…そうだ！
……
分《わ》かりました！
受《う》けて立《た》ちますわ!!
フッ…

ルールは簡単《かんたん》だ！
弓矢《ゆみや》で的《まと》を撃《う》ち抜《ぬ》けばこの板《いた》を返《かえ》そう！
的《まと》はどこですの？
的《まと》は…
こいつの頭《あたま》に置《お》いたリンゴだ！
ポン
な…
!!
そ、そんなの危険《きけん》すぎますわ!!
シャチのエサになるよりマシだろ…
く…
心配《しんぱい》するな華帆《かほ》、受《う》けて立《た》とうぜ…
御堂君《みどうくん》…
分《わ》かりました、やりますわ！
よし！はじめるぞ！

いいぞ——!!
……
やれ、やれ——!!
聞《き》いたよ!
弓矢《ゆみや》で決着《けっちゃく》つけるって?
あ…
ったく、アンタらもバカなことをしたもんだね…
そう思《おも》うならやめさせてくれよ…
ふん!やだね…
く…
御堂君《みどうくん》、やるしかありませんわ!
お、おう…
待《ま》ちな…
!?
ポン

……
え？
肩《かた》についてたよ！
さ、思《おも》う存分《ぞんぶん》勝負《しょうぶ》しな!!
御堂君《みどうくん》！いきますわよ!!
こい!!
ハア…
ハア…
ハア…
スー…
ハー…
スー…

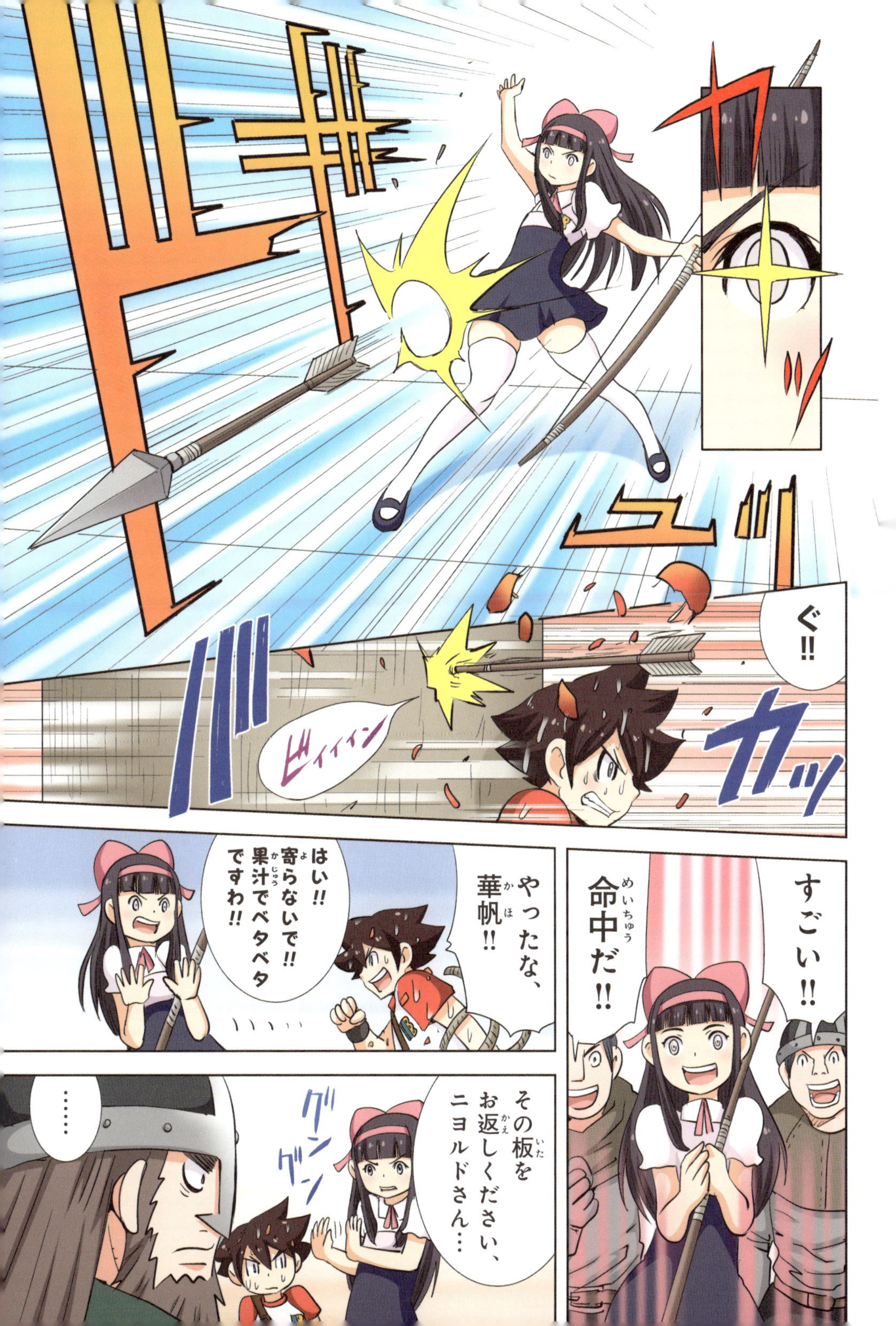
カッ
ぐ!!
カッ
ビィィィン
すごい!!
命中《めいちゅう》だ!!
やったな、華帆《かほ》!!
はい!! 寄《よ》らないで!! 果汁《かじゅう》でベタベタですわ!!
その板《いた》をお返《かえ》しください、ニヨルドさん…
グン
グン
……

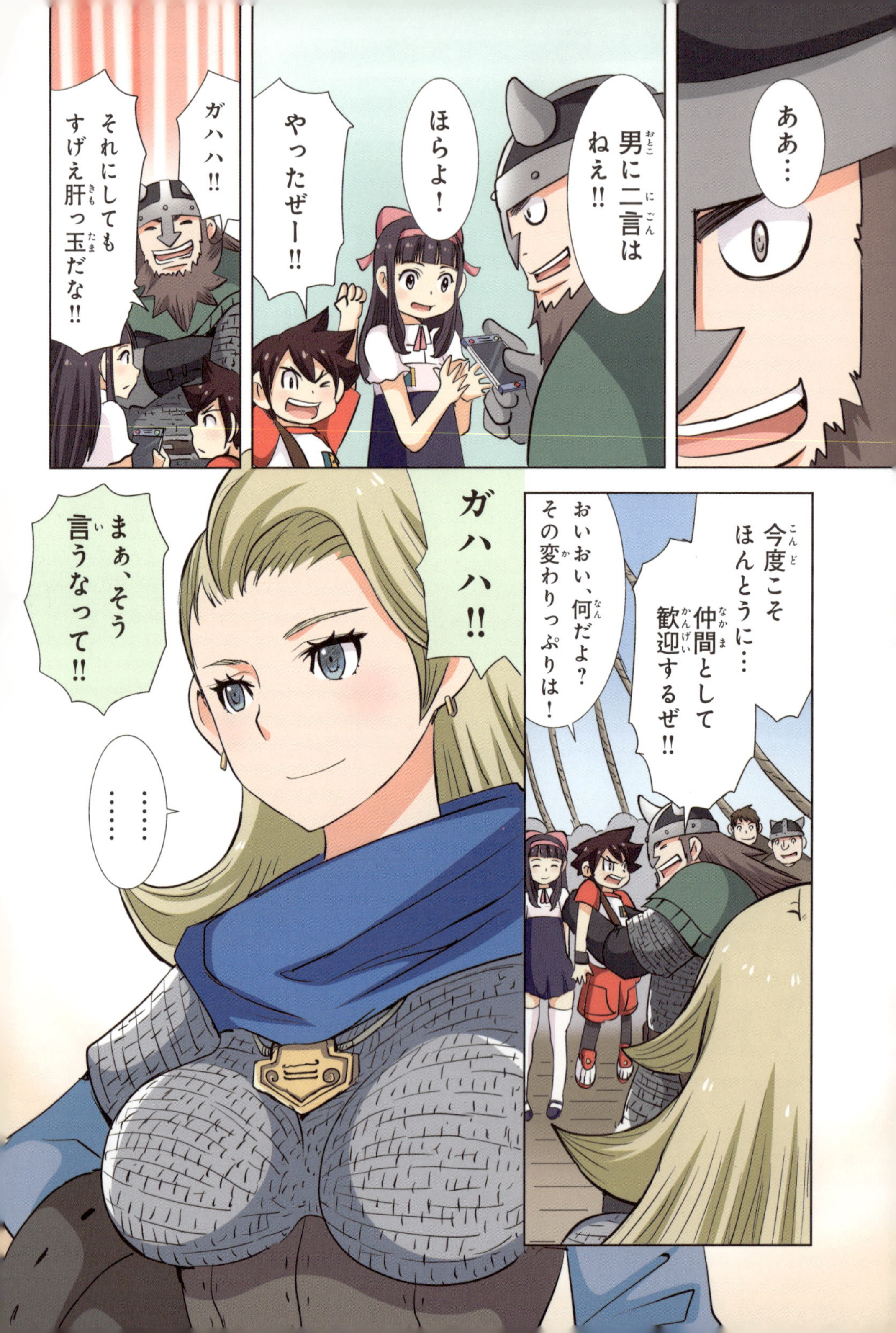
ああ…
男《おとこ》に二言《にごん》はねえ!!
ほらよ!
やったぜー!!
ガハハ!!
それにしてもすげえ肝《きも》っ玉《たま》だな!!
今度《こんど》こそほんとうに…仲間《なかま》として歓迎《かんげい》するぜ!!
おいおい、何《なん》だよ?その変《か》わりっぷりは!
ガハハ!!
まぁ、そう言《い》うなって!!
……

おー、いいぞ～!!
イエーイ!!
飲《の》め飲《の》め——!!
ほら、航《わたる》も飲《の》め!
いや、オレ未成年《みせいねん》だから…
?
ゴッ
未成年《みせいねん》が何《なん》だってんだよ飲《の》め飲《の》め～!!
……
ダメなものはダメなの!!
じゃ、オレ向《む》こう向《む》いてるからよ…そのスキに飲《の》め、な?
だから——ダメだって!!

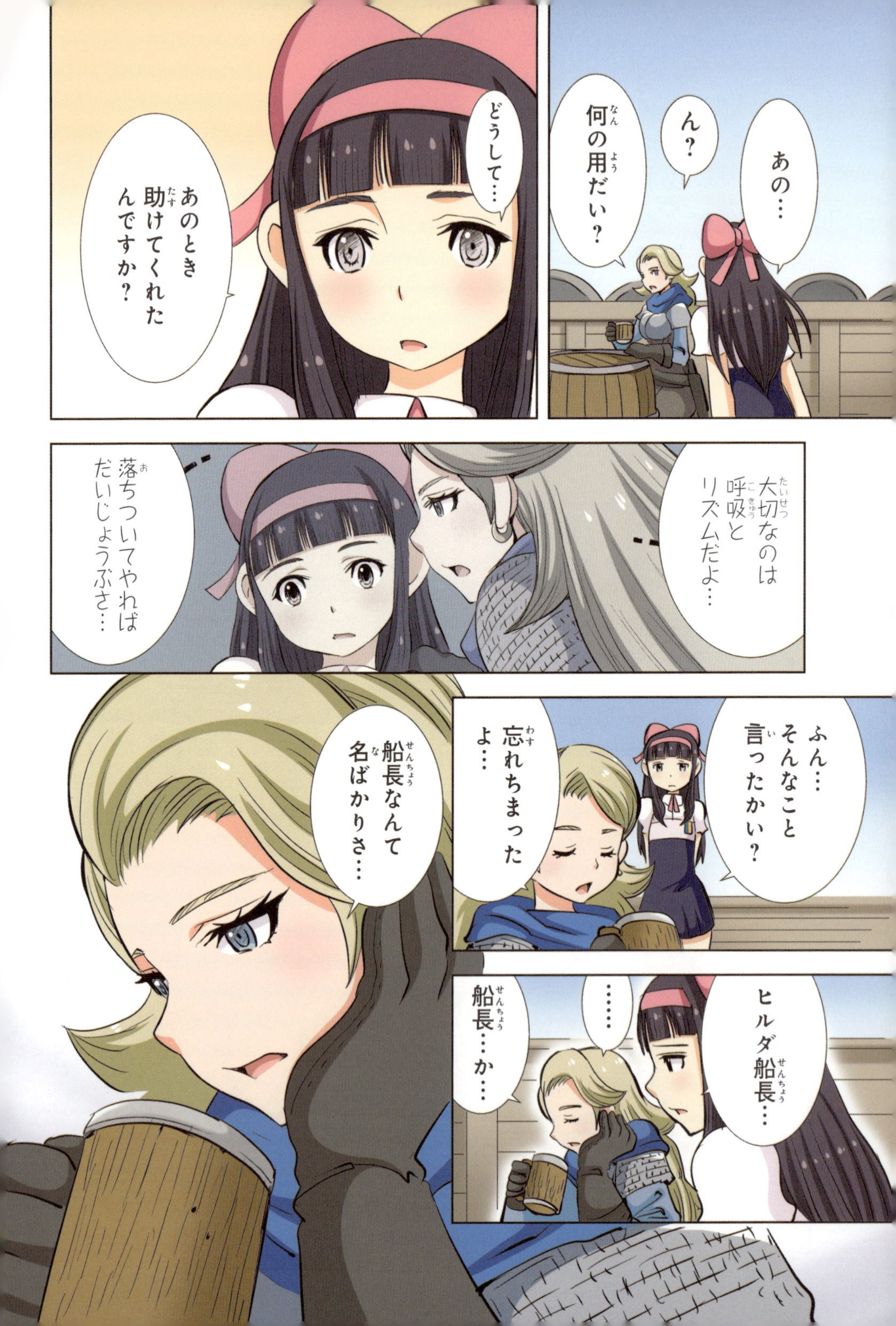
あの…
ん？
何《なん》の用《よう》だい？
どうして…
あのとき助《たす》けてくれたんですか？
大切《たいせつ》なのは呼吸《こきゅう》とリズムだよ…
落《お》ちついてやればだいじょうぶさ…
ふん…そんなこと言《い》ったかい？
忘《わす》れちまったよ…
ヒルダ船長《せんちょう》…
……
船長《せんちょう》…か…
船長《せんちょう》なんて名《な》ばかりさ…

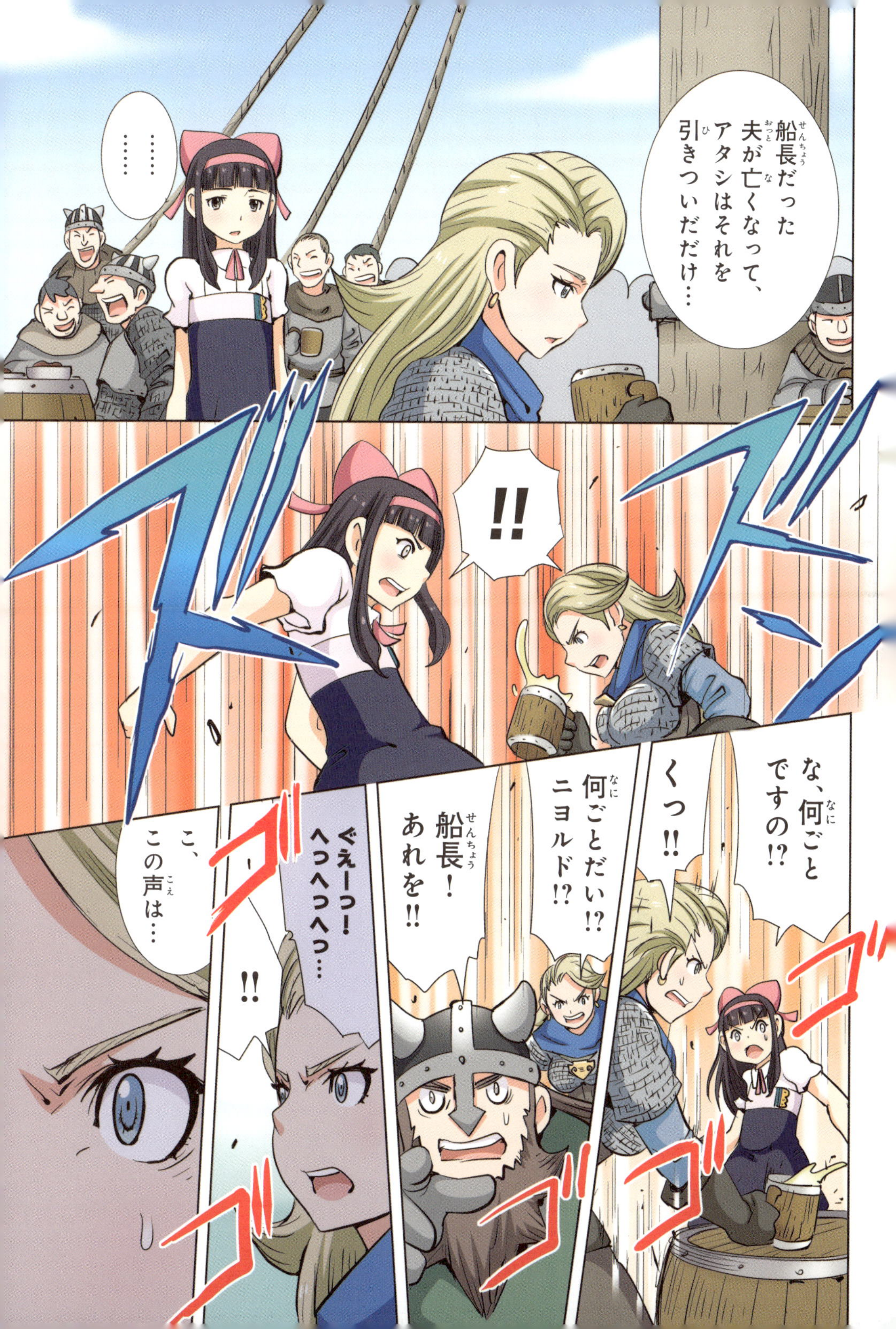

船長《せんちょう》だった夫《おっと》が亡《な》くなって、アタシはそれを引《ひ》きついだだけ…
……
ズズン
!!
な、何《なに》ごとですの!?
くっ!!
何《なに》ごとだい!? ニヨルド!?
船長《せんちょう》! あれを!!
ゴゴゴゴ
ぐえーっ! へっへっへっ…
!!
こ、この声《こえ》は…

マグニ!!

よォ、ヒルダ!!
久《ひさ》しぶりだな!!
ぐえーっ!へっへっへっ…

コナンの推理《すいり》NOTE《ノート》

中世《ちゅうせい》ヨーロッパで大活躍《だいかつやく》！「バイキング」とは何者《なにもの》だ？

タイムドリフターが出会《であ》ったバイキングは、歴史《れきし》に名高《なだか》い冒険者《ぼうけんしゃ》だ！

「入《い》り江《え》の民《たみ》」という意味《いみ》の「バイキング」は、北《きた》ヨーロッパのスカンジナビア半島《はんとう》やユトランド半島《はんとう》に暮《く》らしていた人《ひと》びとを指《さ》す言葉《ことば》。荒《あ》れた海《うみ》や水深《すいしん》の浅《あさ》い川《かわ》でも自在《じざい》に航行《こうこう》できる「ロングシップ」と呼《よ》ばれる船《ふね》を発明《はつめい》したバイキングは、ヨーロッパのあちこちに出《で》かけていき交易《こうえき》を行《おこな》ったが、ときには武《ぶ》装《そう》して略奪《りゃくだつ》や征服《せいふく》をすることもあり、「海賊《かいぞく》」としてもおそれられた。

ヨーロッパを侵略《しんりゃく》したバイキングは、すぐれた船乗《ふなの》りだったぞ！

並《なら》べられた料理《りょうり》を、各自《かくじ》が取《と》り分《わ》けて食《た》べる「バイキング料理《りょうり》」は、昭和時代《しょうわじだい》の日本《にっぽん》のホテルで考《かんが》え出《だ》された食事形式《しょくじけいしき》なんじゃよ。

ヨーロッパ各地《かくち》を征服《せいふく》したバイキング

バイキング

8世紀末《せいきまつ》から12世紀《せいき》にかけて、ヨーロッパ各地《かくち》に勢力《せいりょく》を伸《の》ばしたバイキングは、征服《せいふく》した地域《ちいき》にみずからの国《くに》をつくった。さらには、コロンブスのアメリカ大陸到達《たいりくとうたつ》（1492年《ねん》）のはるか前《まえ》、9世紀《せいき》には大西洋《たいせいよう》を越《こ》えてアメリカ大陸《たいりく》まで活動範囲《かつどうはんい》を広《ひろ》げていた。

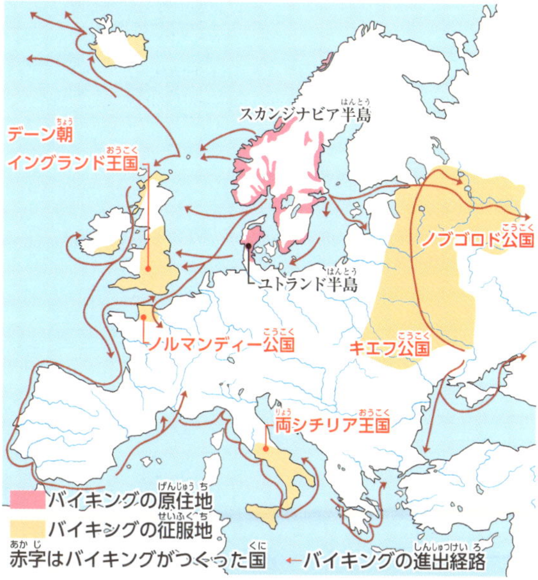
スカンジナビア半島《はんとう》
デーン朝《ちょう》
イングランド王国《おうこく》
ノブゴロド公国《こうこく》
ユトランド半島《はんとう》
ノルマンディー公国《こうこく》
キエフ公国《こうこく》
両《りょう》シチリア王国《おうこく》
バイキングの原住地《げんじゅうち》
バイキングの征服地《せいふくち》
赤字《あかじ》はバイキングがつくった国《くに》
←バイキングの進出経路《しんしゅつけいろ》

ランス・オ・メドー遺跡《いせき》（カナダ）

バイキングは、アメリカ大陸《たいりく》まで進出《しんしゅつ》していたぞ！

ユネスコ世界文化遺産《せかいぶんかいさん》のバイキングの集落遺跡《しゅうらくいせき》。1000年《ねん》ごろに、800～1000人《にん》が暮《く》らしていた。

コナンの推理《すいり》NOTE《ノート》

ゲームのルーツを探《さぐ》れ！身近《みぢか》なゲームの深《ふか》～い歴史《れきし》

ゲームの歴史《れきし》をさかのぼると、たった4つの形式《けいしき》にたどり着《つ》く!?

将《しょう》棋《ぎ》やオセロなど、専用《せんよう》の盤《ばん》の上《うえ》でコマを動《うご》かして遊《あそ》ぶゲームを「盤上《ばんじょう》ゲーム（ボードゲーム）」と呼《よ》ぶ。盤上《ばんじょう》ゲームの起源《きげん》は古《ふる》く、数千年前《すうせんねんまえ》の古代《こだい》エジプトや古代《こだい》インドまでさかのぼる。その後《ご》、盤上《ばんじょう》ゲームはさまざまな変化《へんか》をとげながら、世界各地《せかいかくち》に広《ひろ》まっていったのだ。パソコンやスマホに搭載《とうさい》されているゲームの中《なか》にも、数《かず》多《おお》くの盤上《ばんじょう》ゲームが含《ふく》まれているぞ。

ゲームはこの4つから始《はじ》まった！

競争《きょうそう》ゲーム

双六《すごろく》や古代《こだい》エジプトの「セネト」など、振《ふ》り出《だ》しから上《あ》がりまでの早《はや》さを競《きそ》い合《あ》うゲーム。

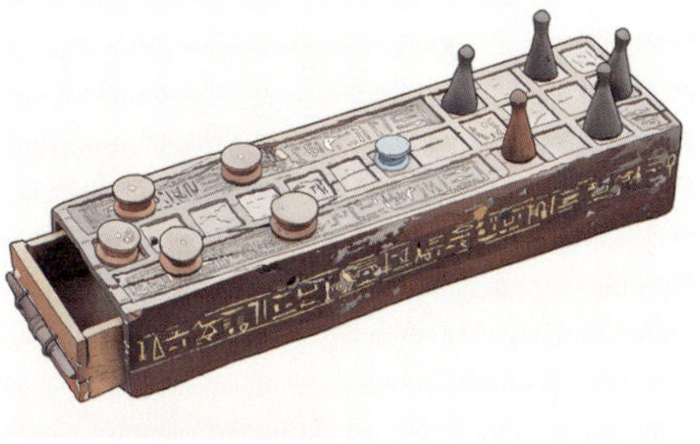

戦争《せんそう》ゲーム

将棋《しょうぎ》やチェス、古代《こだい》インドの「チャトランガ」など、軍隊《ぐんたい》に見立《みた》てたコマを取《と》り合《あ》うゲーム。

包囲《ほうい》ゲーム

囲碁《いご》やオセロのように、相手《あいて》のコマを自分《じぶん》のコマで囲《かこ》んで陣地《じんち》を広《ひろ》げるゲーム。

配列《はいれつ》ゲーム

五目並《ごもくなら》べや七並《しちなら》べ、古代《こだい》ローマの「ナイン・メンズ・モリス」など、コマを並《なら》べるゲーム。

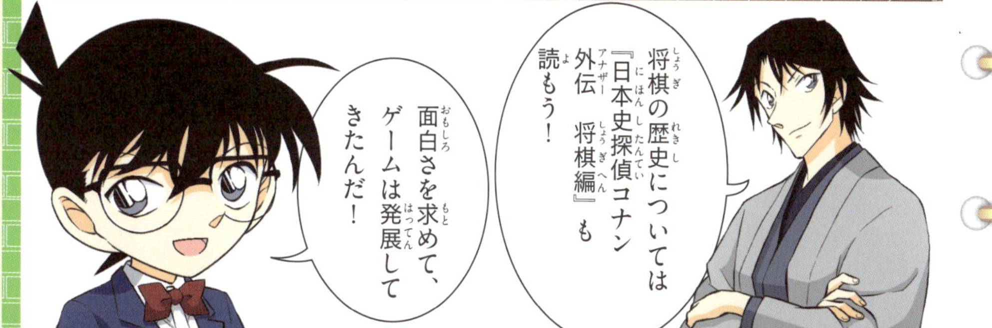
将棋《しょうぎ》の歴史《れきし》については『日本史探偵《にほんしたんてい》コナン外伝《アナザー》　将棋編《しょうぎへん》』も読《よ》もう！
面白《おもしろ》さを求《もと》めて、ゲームは発展《はってん》してきたんだ！

ロールプレイングゲーム（RPG《アールピージー》）は、サイコロを転《ころ》がして複数《ふくすう》のストーリーを選《えら》びながら読《よ》み進《すす》める「アドベンチャーブック」から生《う》まれたんじゃよ。

「カルタ」は世界《せかい》を一周《いっしゅう》して日本《にっぽん》にやってきた!?

トランプなど札《ふだ》（カード）を使《つか》って遊《あそ》ぶゲームを「カードゲーム」と呼《よ》ぶ。いろはカルタや百人一首《ひゃくにんいっしゅ》カルタ、花札《はなふだ》は、日本《にっぽん》の伝統的《でんとうてき》なカードゲームだが、その誕生《たんじょう》までには長《なが》い歴史《れきし》がある。数百年《すうひゃくねん》にわたるカルタの歴史《れきし》を見《み》てみよう！

3

③日本《にっぽん》（16世紀《せいき》）

日本《にっぽん》のカルタのルーツは、室町時代《むろまちじだい》にヨーロッパ人《じん》がもたらしたカルタ（カード）の影響《えいきょう》を受《う》けて生《う》まれた「うんすんカルタ」にある。

日本《にっぽん》の伝統遊《でんとうあそ》びも、実《じつ》は世界《せかい》の歴史《れきし》とつながっていたのね…

いろはカルタ

いぬもあるけば ぼうに あたる
ろんより しょうこ
はなより だんご
にくまれっこ よに はばかる
い
ろ
は
に

百人一首《ひゃくにんいっしゅ》カルタ

しのふるこ とのよりはり もそする
うしとみし よそいまは こひしき
みおつくし てやこひわ たるへき
やまのおく ぬもしかそ なくなる

花札《はなふだ》

日本各地《にっぽんかくち》の「郷土《きょうど》カルタ」の中《なか》でもっとも有名《ゆうめい》なものが、群馬県《ぐんまけん》の「上毛《じょうもう》かるた」なんじゃ。1947年《ねん》の発売以来《はつばいいらい》、累計《るいけい》で150万組以上《まんくみいじょう》つくられておるぞ。

②ヨーロッパ（14～15世紀《せいき》ごろ）

ヨーロッパでトランプの原型《げんけい》が生《う》まれたのは、14世紀《せいき》ごろのこと。当時《とうじ》のトランプの柄《がら》は、剣《けん》、聖杯《せいはい》、貨幣《かへい》、こん棒《ぼう》だった。現在《げんざい》のような、スペード、ハート、ダイヤ、クラブのトランプは、15世紀《せいき》の終《お》わりごろにフランスで生《う》まれた。

2
中国《ちゅうごく》からヨーロッパへ
1
ヨーロッパから日本《にっぽん》へ

1枚《まい》のカードにも
壮大《そうだい》な歴史《れきし》が
隠《かく》されて
いるんだ！

①中国《ちゅうごく》（9世紀《せいき》ごろ）

カードゲームのルーツは、意外《いがい》なことに中国《ちゅうごく》にあるとされている。それが12世紀以前《せいきいぜん》から中国《ちゅうごく》で「葉子戯《イエツーシー》（カードゲーム）」に使《つか》われていた、「馬弔《マーディアオ》」と呼《よ》ばれる紙《かみ》のカードだ。この「馬弔《マーディアオ》」がヨーロッパに伝《つた》わり、トランプやタロットなどのカードが生《う》まれたと考《かんが》えられている。

FILE. 4 バイキング・マッチ

久《ひさ》しぶりだな…
ヒルダ…
まだくたばってなかったのかい?
マグニ…
そうそう、その感《かん》じ!!相変《あいか》わらずだな!!グエーッヘッヘッヘッ…
ふん!
さて…毎年恒例《まいとしこうれい》の対決《たいけつ》がそろそろだな!
!
…対決《たいけつ》?
マグニ達《たち》とオレ達《たち》は、昔《むかし》から…
出会《であ》うたびに争《あらそ》っていて…

毎回《まいかい》無駄《むだ》な血《ち》が流《なが》れた……
だからあるとき協定《きょうてい》を結《むす》んだんだ……
協定《きょうてい》？
毎年《まいとし》1回《かい》おたがいの船員達《せんいんたち》どうしで対決《たいけつ》するんだ……
争《あらそ》いの代《か》わりにいろんな競技《きょうぎ》でな……
負《ま》けたらどうなるんですの？
勝者《しょうしゃ》が望《のぞ》む人間《にんげん》を、だれであっても差《さ》し出《だ》す約束《やくそく》だ……
だれでも……
ああ、そうすれば血《ち》を流《なが》さずに済《す》む……
おたがいのためか……
グヘ……
前回《ぜんかい》はオレ達《たち》が勝《か》った！

そしてこいつをいただいた…
今回《こんかい》はどいつにしようか…
……
よーし、決《き》めたぞー…
今回《こんかい》オレ達《たち》が勝《か》ったら…
そいつをもらう！
!!
え!?
私《わたくし》ですの!?

おい!! 勝負《しょうぶ》に負《ま》けたら 華帆《かほ》が奪《うば》われるって 何《なん》だよ!!
ルールは ルール… ぐちぐち 言《い》うんじゃ ないよ…
なあに… 勝《か》てばいいんだよ、勝《か》てば…
勝《か》てばって… 前回《ぜんかい》は 負《ま》けたんだろ!?
その前《まえ》は!?
勝《か》ったの!?
いっ… いや…
全然《ぜんぜん》ダメじゃん! あーもー どうすんだよ!!
ブン ブン
でも… やるしか ありませんわ…
って言《い》っても…

あいつら全然《ぜんぜん》やる気《き》ねーし!!
そう…
あせるなって…
やるときはやんだぜ～?
オレ達《たち》も…
まあ、飲《の》んで…
落《お》ちつこう…
こ……こんなんじゃ勝《か》てっこねぇよ…
ガハ…
……
た…
大変《たいへん》なことになりましたわね…

もし、勝負《しょうぶ》に負《ま》けたら華帆《かほ》お姉《ねえ》さん…
どうにかならないのかよ、コナン！
ナビモニターをハッキングされている状態《じょうたい》じゃ、打《う》てる手《て》は限《かぎ》られる…
そんな…
祈《いの》るしかないわね…勝利《しょうり》の女神《めがみ》に…
まあ…
そんなにあっさりと負《ま》けないとは思《おも》うぜ！
ホント!?
ああ…
相手《あいて》がヒルダさん達《たち》の弱点《じゃくてん》を突《つ》いてこなければな…

数日後《すうじつご》…
ザザァ
ザザ
……
なぁ…
対決《たいけつ》に向《む》けて そろそろ 練習《れんしゅう》…
あーーっ！
はい はいーーー!!
ウィー
あとで やりまーす！ それより…
錨《いかり》上《あ》げ、 ヨロシク!!
ぐぬぬ…
フン フン
…ったく もう!!
錨《いかり》上《あ》げなんて 1人《り》じゃ ムリだよ!!
あーもー、 ムリだ〜！
サボってるんじゃ ないよ!!

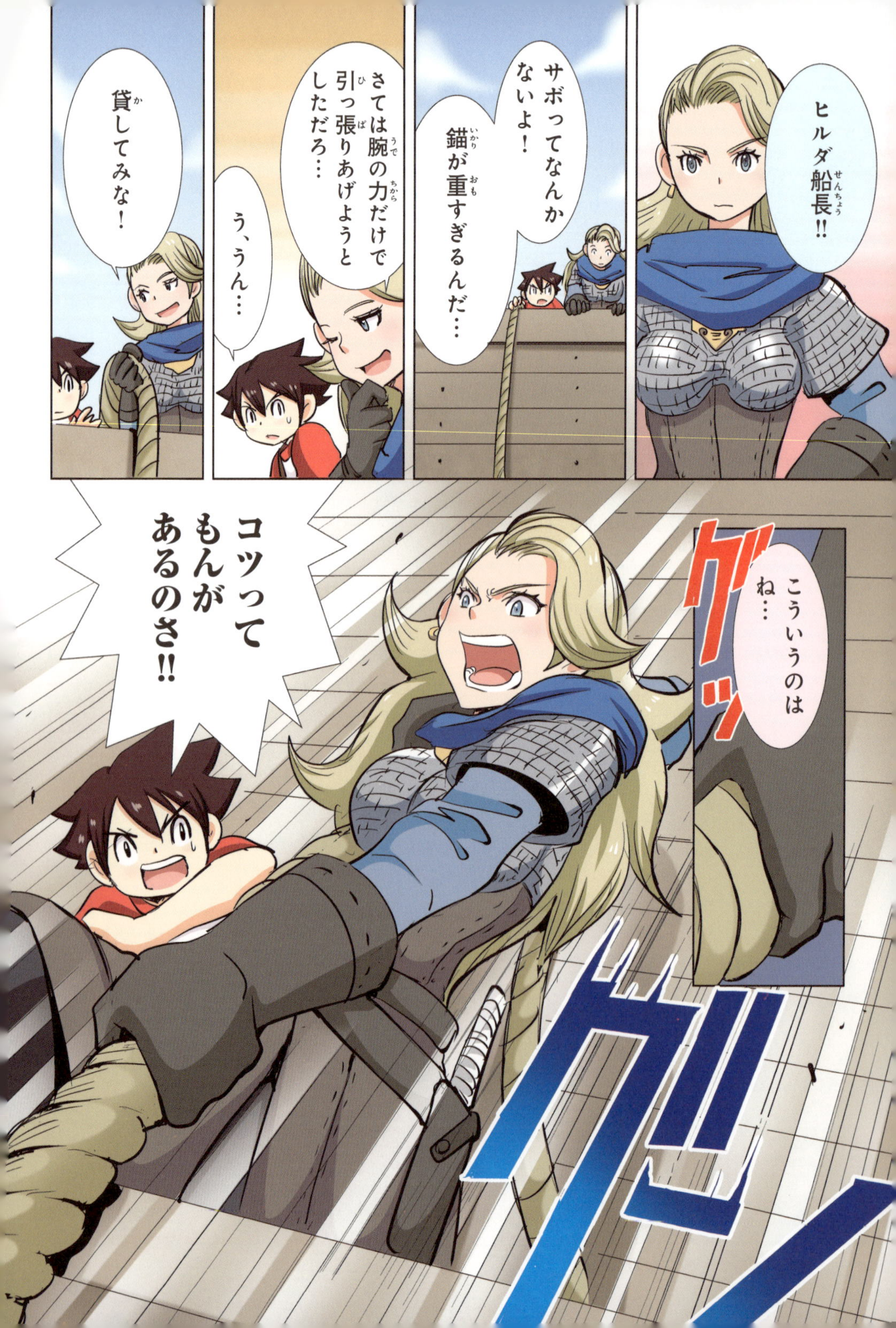
ヒルダ船長《せんちょう》!!
サボってなんかないよ！
錨《いかり》が重《おも》すぎるんだ…
さては腕《うで》の力《ちから》だけで引《ひ》っ張《ぱ》りあげようとしただろ…
う、うん…
貸《か》してみな！
こういうのはね…
グッ
コツってもんがあるのさ!!
グン

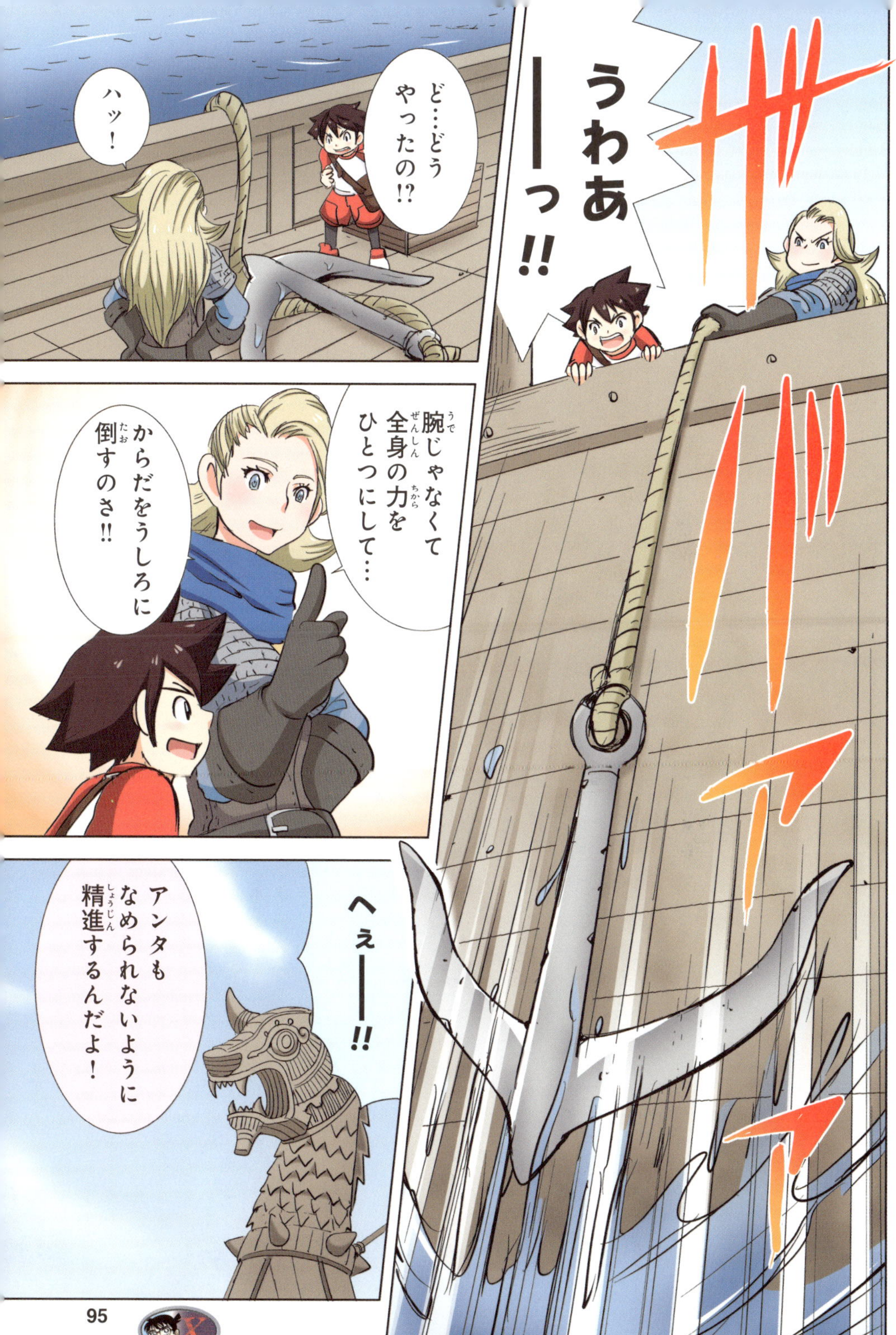
うわあーーっ!!
ザザアア
ど…どうやったの!?
ハッ!
腕《うで》じゃなくて全身《ぜんしん》の力《ちから》をひとつにして…
からだをうしろに倒《たお》すのさ!!
へぇーー!!
アンタもなめられないように精進《しょうじん》するんだよ!

対決当日《たいけつとうじつ》…
ぐぇーっ へっへっへっ!
よく逃《に》げ出《だ》さなかったな!
そっちこそ!!
忘《わす》れるな! 勝《か》ったらそいつをもらう…
勝《か》ってから言《い》いな!
へっ…
よし、始《はじ》めるぞ…
まずは…

水上《すいじょう》的当《まとあ》てだ!!
あの的《まと》に矢《や》を当《あ》てたほうが勝《か》ちだ!!
プカ
プカ
うちは自慢《じまん》の狙撃手《そげきしゅ》を出《だ》すぜ!
そっちは?
ザッ
私《わたくし》ですわ!!
グヘヘ!!
いきなりガキが出《で》てくるとはな…
こりゃ今回《こんかい》もオレさま達《たち》の勝《か》ちで決《き》まりだな…
グェッヘッヘッ!!
ふん!
うるさいね!!
華帆《かほ》!
がんばれー!!
まかせてください!!

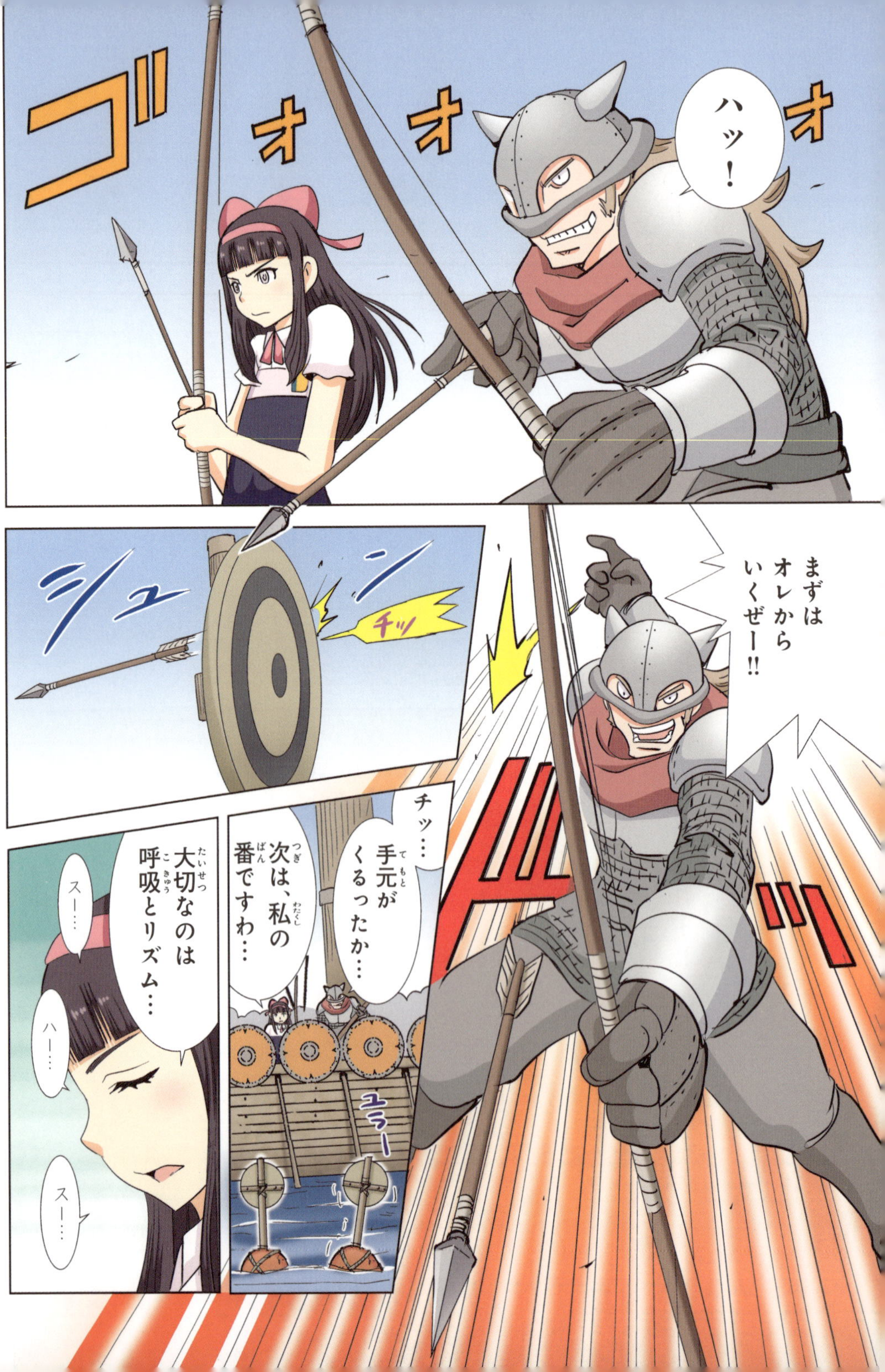
ゴオオオ
ハッ!
まずはオレからいくぜー!!
シュン
チッ
チッ…手元《てもと》がくるったか…
次《つぎ》は、私《わたくし》の番《ばん》ですわ…
ユラ〜
大切《たいせつ》なのは呼吸《こきゅう》とリズム…
スー…
ハー…
スー…

カッ
ドキュッ
ドッ
ビィイイン
さすが華帆《かほ》だぜ!!
当《あ》たり前《まえ》ですわ！
まずはアタシらの一勝《いっしょう》だね！
ぐ…
次《つぎ》だ！　次《つぎ》!!

わぁぁあ
水上《すいじょう》押《お》し相撲《ずもう》
ヒルダチーム勝利《しょうり》!!
水上《すいじょう》障害物《しょうがいぶつ》競走《きょうそう》
ヒルダチーム勝利《しょうり》!!
釣《つ》り対決《たいけつ》
ヒルダチーム勝利《しょうり》!!

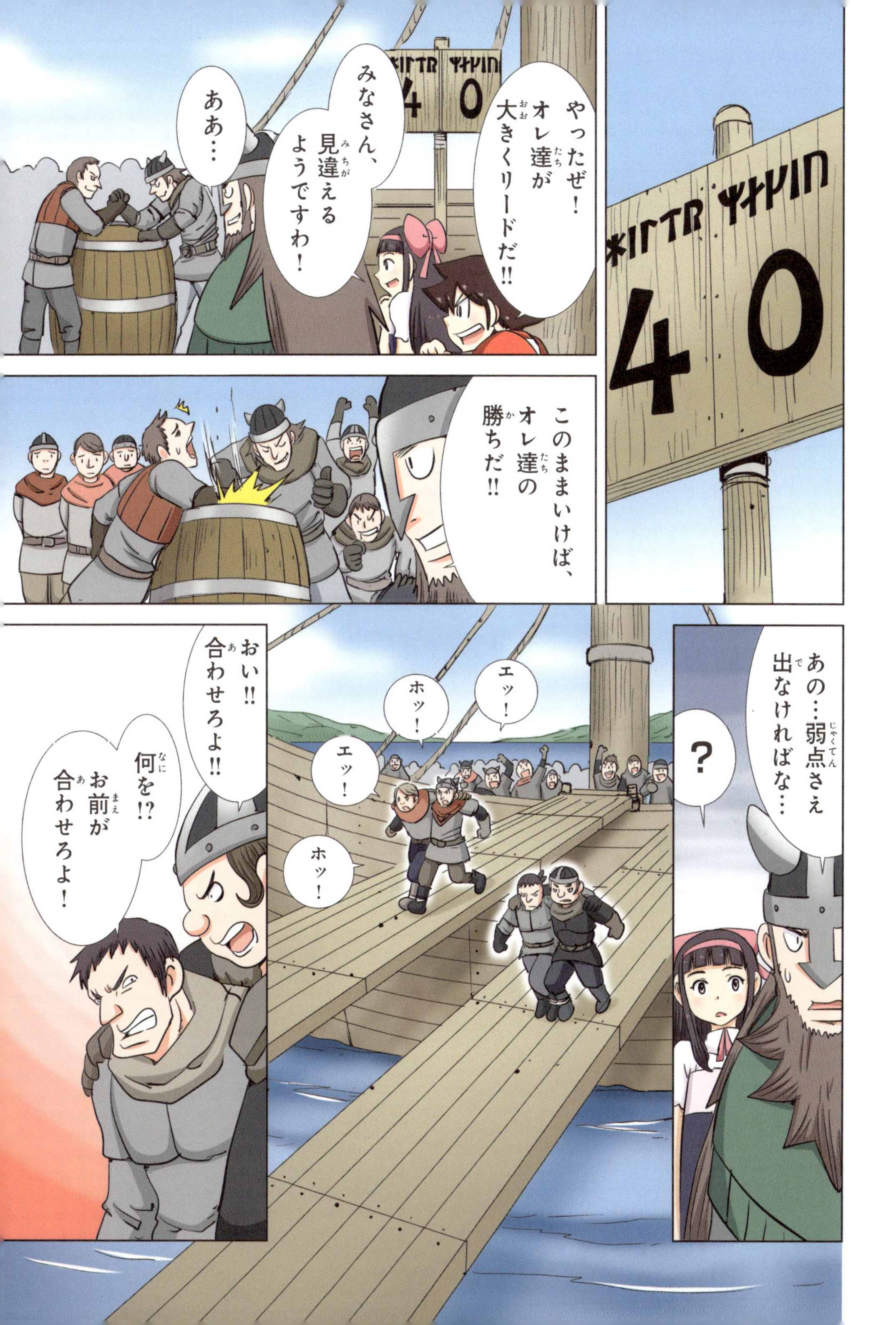
40
やったぜ！オレ達《たち》が大《おお》きくリードだ!!
みなさん、見違《みちが》えるようですわ！
ああ…
このままいけば、オレ達《たち》の勝《か》ちだ!!
あの…弱点《じゃくてん》さえ出《で》なければな…
？
エッ！
ホッ！
エッ！
ホッ！
おい!!合《あ》わせろよ!!
何《なに》を!?お前《まえ》が合《あ》わせろよ！

あ？やんのかコラ!?
この野郎《やろう》!!
!!
はい、ゴーール!!
うわー…負《ま》けたー…
……しまった…
ついにウチの弱点《じゃくてん》が…
チームワーク、バラバラすぎだろ!!
…うむむ…
よし！
4 1
まずは一《ひと》つ返《かえ》した…
最後《さいご》は…
あの手《て》で…
おい、ヒルダ!!
何《なん》だい？

次《つぎ》は1対《たい》1の…
綱引《つなひ》きだったよな？
せっかくだ…
チーム戦《せん》でやるのはどうだ？
チーム戦《せん》？
ふん、そんなの…
受《う》けてやる義理《ぎり》はないね!!
ほう…
まさか……
負《ま》けるのが怖《こわ》いのか？
先代《せんだい》とは大違《おおちが》いだな…
!!
何《なん》だって？
グヘ…

先代《せんだい》…お前《まえ》の夫《おっと》は…
完璧《かんぺき》なすごい船長《せんちょう》だった!!
そして何《なに》より、みながついていくカリスマ性《せい》があったよ……
それに比《くら》べてお前《まえ》はどうだ?
……
ただの〝お飾《かざ》り〟にしか見《み》えねえぜ!!

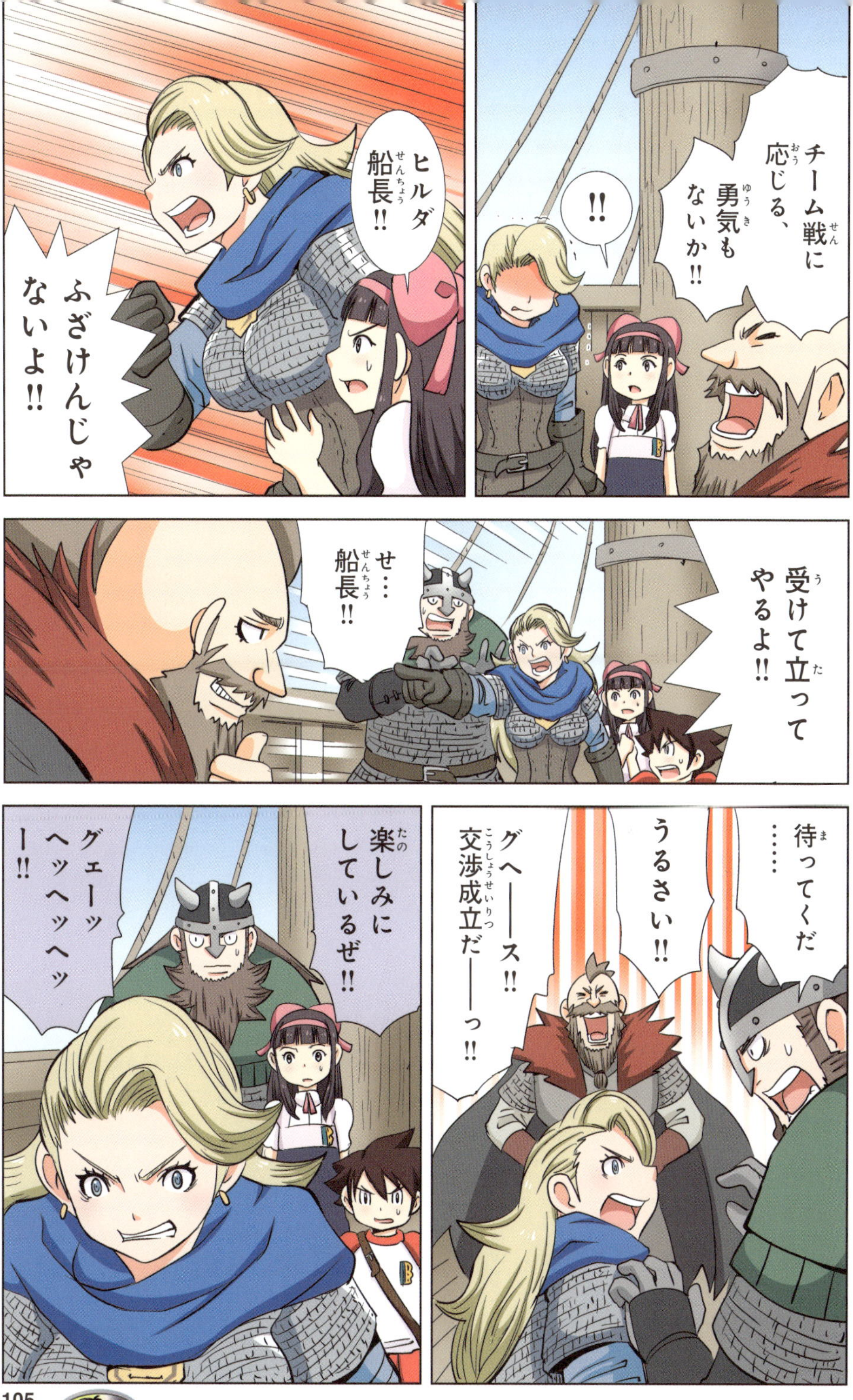

チーム戦《せん》に応《おう》じる、勇気《ゆうき》もないか!!
!!
ヒルダ船長《せんちょう》!!
ふざけんじゃないよ!!
受《う》けて立《た》ってやるよ!!
せ…船長《せんちょう》!!
待《ま》ってくだ……
うるさい!!
グヘ——ス!! 交渉成立《こうしょうせいりつ》だ——っ!!
楽《たの》しみにしているぜ!!
グェーッヘッヘッヘッー!!

コナンの推理《すいり》NOTE《ノート》

世界《せかい》と日本《にっぽん》の歴史《れきし》を動《うご》かした「グレート・ゲーム」とは!?

「ゲーム」という言葉《ことば》は、複雑《ふくざつ》な駆《か》け引《ひ》きの様子《ようす》をあらわしている！

この絵《え》は何《なに》をあらわしているのだろう？

イギリス帝国《ていこく》とロシア帝国《ていこく》の「グレート・ゲーム」の主《おも》な舞台《ぶたい》になったのは、中央《ちゅうおう》アジアのアフガニスタンだったんだ！

答《こた》えは！

ロシア帝国《ていこく》（クマ）とイギリス帝国《ていこく》（ライオン）にはさまれて、困《こま》ってしまっているアフガニスタンの様子《ようす》をあらわしているぞ！

19世紀《せいき》から20世紀《せいき》はじめにかけて、中央《ちゅうおう》アジアを舞台《ぶたい》にロシア帝国《ていこく》とイギリス帝国《ていこく》が勢力《せいりょく》を争《あらそ》った歴史上《れきしじょう》のできごとを「グレート・ゲーム」と呼《よ》ぶ。ロシア帝国《ていこく》とイギリス帝《てい》国《こく》が、まるでゲームの「チェス」のように、複雑《ふくざつ》な駆《か》け引《ひ》きをくり広《ひろ》げたからだ。娯楽《ごらく》としてのゲームとは違《ちが》って、大国《たいこく》どうしの「グレート・ゲーム」は世界《せかい》の歴史《れきし》に大《おお》きな影響《えいきょう》を与《あた》えることになった。東《ひがし》アジアの国《くに》・日本《にっぽん》も気《き》がつけば、この「グレート・ゲーム」のコマのひとつになっていたのだ。

中央《ちゅうおう》アジアの天然資源《てんねんしげん》をめぐり、アメリカ、EU《イーユー》、中国《ちゅうごく》、ロシアなどが勢力《せいりょく》を競《きそ》い合《あ》っている現在《げんざい》は、「新《しん》グレート・ゲーム」の時代《じだい》といわれておるんじゃ。

2つの帝国《ていこく》の争《あらそ》いは日本《にっぽん》にも影響《えいきょう》

20世紀《せいき》はじめのアジア

ロシア帝国《ていこく》の領土《りょうど》
イギリス帝国《ていこく》の植民地《しょくみんち》
ロシア帝国《ていこく》の勢力圏《せいりょくけん》
イギリス帝国《ていこく》の勢力圏《せいりょくけん》
ロシア帝国《ていこく》
中央《ちゅうおう》アジア
アフガニスタン
朝鮮半島《ちょうせんはんとう》
日本《にっぽん》
東《ひがし》アジア

ユーラシア大陸《たいりく》を南下《なんか》するロシア帝国《ていこく》と、インドを支配《しはい》したイギリス帝国《ていこく》の勢力《せいりょく》が、19世紀《せいき》にぶつかり合《あ》ったのが中央《ちゅうおう》アジアだった。とくにアフガニスタンをどちらが勢力《せいりょく》下《か》に収《おさ》めるかで、複雑《ふくざつ》で政治《せいじ》的《てき》な駆《か》け引《ひ》きがくり広《ひろ》げられた。一方《いっぽう》でイギリス帝国《ていこく》は、東《ひがし》アジアに進出《しんしゅつ》するロシア帝《てい》国《こく》に対抗《たいこう》するため、日本《にっぽん》との間《あいだ》に「日英同盟《にちえいどうめい》」（1902年《ねん》）を結《むす》んだ。

そのころ、東《ひがし》アジアでは、ロシア帝国《ていこく》と日本《にっぽん》の勢力《せいりょく》が、朝鮮半島《ちょうせんはんとう》でぶつかり合《あ》っていた。

日本《にっぽん》も世界《せかい》の
動《うご》きと無関係《むかんけい》では
なかったんだ！

日露戦争《にちろせんそう》

朝鮮半島《ちょうせんはんとう》をめぐる対立《たいりつ》から、1904年《ねん》に日本《にっぽん》とロシアの間《あいだ》に起《お》こった戦争《せんそう》。勝利《しょうり》した日本《にっぽん》は、朝鮮半島《ちょうせんはんとう》を支配下《しはいか》に置《お》いた。日露戦争前《にちろせんそうまえ》の様子《ようす》を描《えが》いた風刺《ふうし》画《が》では、「日英同盟《にちえいどうめい》」を結《むす》んだイギリスが、日本《にっぽん》をロシアにけしかけている。世界《せかい》の人《ひと》びとは、日露戦争《にちろせんそう》を「グレート・ゲーム」のひとコマと見《み》ていたのだ。

コナンの推理《すいり》NOTE《ノート》

世界《せかい》を結《むす》びつけたオリンピックの長《なが》い歴史《れきし》

4年《ねん》に1度《ど》のスポーツの祭典《さいてん》「オリンピック」誕生《たんじょう》の秘密《ひみつ》に迫《せま》れ！

4年《ねん》に1度《ど》、夏《なつ》と冬《ふゆ》に開催《かいさい》されるオリンピック競技大会《きょうぎたいかい》は、世界《せかい》の国《くに》ぐにが一堂《いちどう》に会《かい》するスポーツイベントだ。その歴史《れきし》には人類《じんるい》とスポーツの深《ふか》い関係《かんけい》が刻《きざ》まれている。オリンピックの源流《げんりゅう》は古代《こだい》ギリシアにさかのぼるが、現在《げんざい》のオリンピックは19世紀《せいき》に新《あたら》しく始《はじ》められたもの。古代《こだい》のオリンピックと区別《くべつ》して、「近代《きんだい》オリンピック」と呼《よ》ばれている。

2020 東京《とうきょう》オリンピック

日本《にっぽん》では、東京《とうきょう》（1964年夏季《ねんかき》）、札幌《さっぽろ》（1972年冬季《ねんとうき》）、長野《ながの》（1998年冬季《ねんとうき》）、東京《とうきょう》（2020年夏季《ねんかき》、開催《かいさい》は2021年《ねん》）の4大会《たいかい》が開催《かいさい》されている。

古代《こだい》オリンピックは393年《ねん》に廃止《はいし》されたぞ。当時《とうじ》、ヨーロッパに広《ひろ》まったキリスト教《きょう》が、異教《いきょう》の神《かみ》をまつることを禁《きん》じていたからなんじゃ。

古代《こだい》オリンピックは神《かみ》の祭典《さいてん》だった！

古代《こだい》オリンピック

オリンピックの語源《ごげん》は、古代《こだい》ギリシアの都市《とし》オリンピアだ。オリンピアでは、ギリシアの最高神《さいこうしん》ゼウスにささげる競技大会《きょうぎたいかい》「オリンピア大祭《たいさい》」が、4年《ねん》に1度《ど》、開《ひら》かれていた。競技種目《きょうぎしゅもく》は、戦車競走《せんしゃきょうそう》から、ボクシング、レスリングなどの格闘技《かくとうぎ》、短距離走《たんきょりそう》、やり投《な》げ、円盤投《えんばんな》げなどの陸上競技《りくじょうきょうぎ》まで幅広《はばひろ》く、紀元前《きげんぜん》8世紀《せいき》から紀元後《きげんご》4世紀《せいき》まで1000年以上《ねんいじょう》にわたって、約《やく》300回《かい》開催《かいさい》されたと記録《きろく》されている。

オリンピアのゼウス像《ぞう》

一番《いちばん》人気《にんき》は戦車競走《せんしゃきょうそう》だ！

古代《こだい》ギリシアの壺《つぼ》には、戦車競技《せんしゃきょうぎ》や短距離走《たんきょりそう》、ボクシングなどのスポーツ競技《きょうぎ》の様子《ようす》が、生《い》き生《い》きと描《えが》かれている。

古代《こだい》オリンピックについては、『世界史探偵《せかいしたんてい》コナン第《だい》2巻《かん》アトランティス大陸《たいりく》の真実《ミステリー》』も読《よ》んでみるといいわよ…

近代《きんだい》オリンピックの誕生《たんじょう》！

第《だい》1回《かいかき》夏季オリンピック

近代《きんだい》オリンピックの父《ちち》
クーベルタン男爵《だんしゃく》

1896年《ねん》にアテネ（ギリシア）で開《ひら》かれた第《だい》1回《かい》オリンピックには、14か国《こく》から280人《にん》の選手《せんしゅ》（男子《だんし》のみ）が参加《さんか》した。

オリンピックのモットーは、

より速《はや》く
より高《たか》く
より強《つよ》く
共《とも》に

「共《とも》に」は２０２１年《ねん》に新《あら》たに加《くわ》えられた言葉《ことば》だ！

近代《きんだい》オリンピックの開催《かいさい》を発案《はつあん》したのは、フランス人《じん》のクーベルタン男爵《だんしゃく》だ。その目的《もくてき》は、スポーツを通《とお》した「心身《しんしん》の向上《こうじょう》」「文化《ぶんか》や国《くに》を超《こ》えた連帯《れんたい》」「世界平和《せかいへいわ》の実現《じつげん》」にあった。

古代《こだい》にはなかった!? 聖火《せいか》リレーの真実《しんじつ》

オリンピックといえば、聖火《せいか》リレーがつきものだ。この聖火《せいか》リレーが始《はじ》まったのは、１９３６年《ねん》のベルリン大会《たいかい》（ドイツ）のこと。当時《とうじ》、人種差別的《じんしゅさべつてき》な政策《せいさく》でドイツを支配《しはい》していたナチス政権《せいけん》が、ドイツ人《じん》が古代《こだい》ギリシア人《じん》と同《おな》じようにすぐれた民族《みんぞく》であることを示《しめ》すために始《はじ》めたものだった。

古代《こだい》ギリシア風《ふう》の衣装《いしょう》をまとってオリンピアで行《おこな》われている、現代《げんだい》の聖火点灯式《せいかてんとうしき》。

消《き》えたオリンピック種目《しゅもく》!?

オリンピックの競技種目《きょうぎしゅもく》は時代《じだい》によって変化《へんか》してきた。たとえば最近《さいきん》でも、「2020 東京《とうきょう》オリンピック」で、2008 年以降《ねんいこう》、消《き》えていた野球《やきゅう》やソフトボールが復活《ふっかつ》し、スケートボードやスポーツクライミングなどが新《あら》たに採用《さいよう》された。オリンピック種目《しゅもく》に「綱引《つなひ》き」が復活《ふっかつ》する日《ひ》がくるかもしれない。

❶綱引《つなひ》き（1900 ～ 1920 年《ねん》）
❷馬幅跳《うまはばと》び（1900 年《ねん》のみ）
❸熱気球《ねつききゅう》レース（1900 年《ねん》のみ）
❹綱登《つなのぼ》り（1896 ～ 1932 年《ねん》）

中世《ちゅうせい》ヨーロッパでは「キツネ潰《つぶ》し」というおかしなスポーツが流行《りゅうこう》したぞ。2人《り》一組《ひとくみ》で網《あみ》を持《も》ち、その上《うえ》に乗《の》ったキツネを空中《くうちゅう》に跳《は》ね上《あ》げる競技《きょうぎ》じゃ。

ダメだよ！ヒルダ船長《せんちょう》!!
相手《あいて》の口車《くちぐるま》に乗《の》っちゃ〜！
FILE. 5 心《こころ》をひとつに
……
チームワークが弱点《じゃくてん》なんだろ!?
あー…もう負《ま》けたも同然《どうぜん》だってー!!
つい…頭《あたま》に血《ち》がのぼって…
しっかりしてください、ヒルダ船長《せんちょう》!!
アンタも見《み》ただろ？ウチの船員達《せんいんたち》はてんで統率《とうそつ》がとれていない…
だからといって…
あきらめるのは早《はや》いですわ!!
……

…でもアタシにはムリだ…
夫《おっと》のようにふるまうなんて…
ヒルダ船長《せんちょう》！
ん？
先代《せんだい》の船長《せんちょう》はたしかに素晴《すば》らしい方《かた》だったのでしょう…
だからと言《い》って、同《おな》じようにふるまう必要《ひつよう》はありませんわ…
だって……

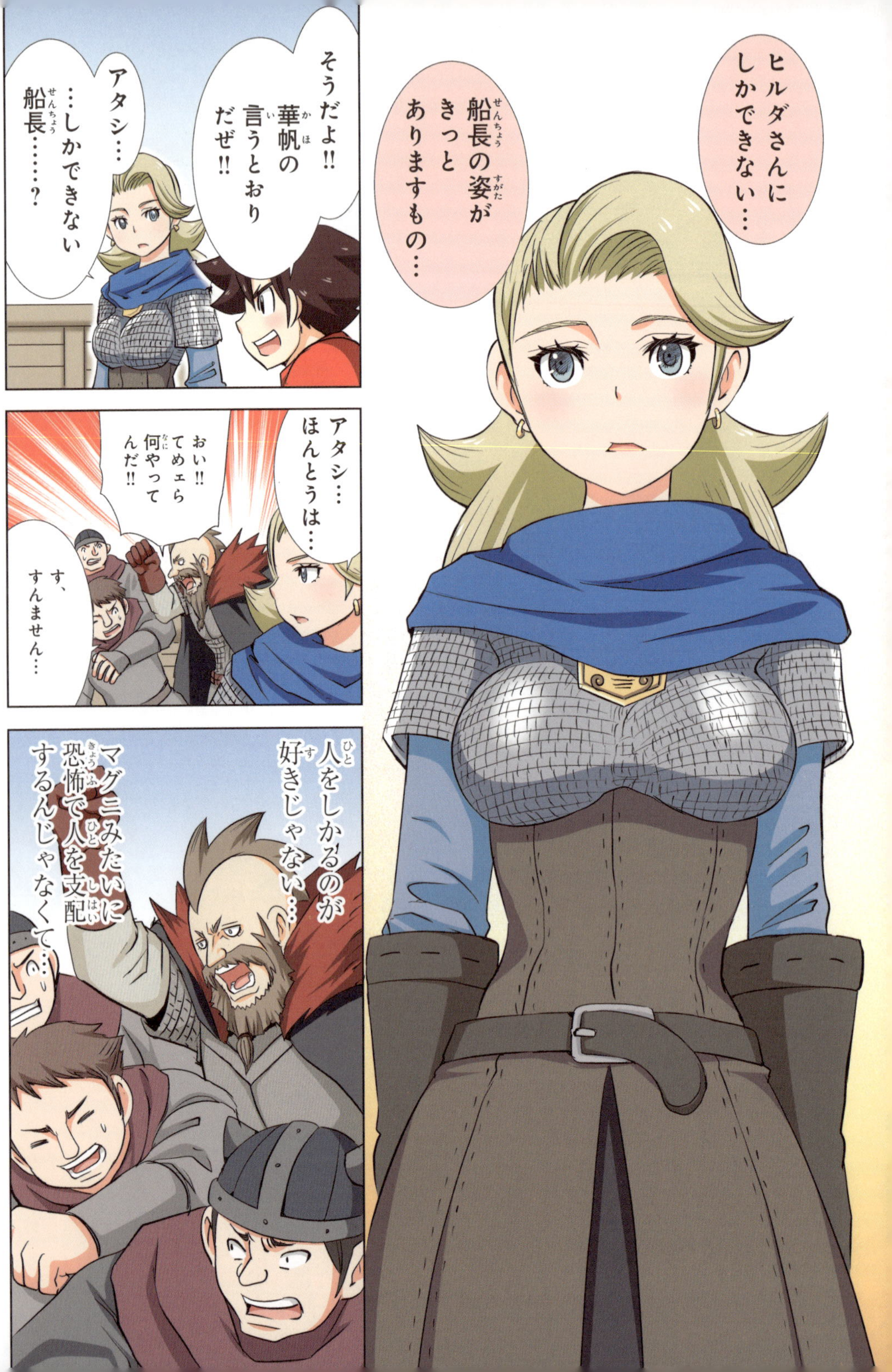
ヒルダさんにしかできない…
船長《せんちょう》の姿《すがた》がきっとありますもの…
そうだよ!!華帆《かほ》の言《い》うとおりだぜ!!
アタシ……しかできない船長《せんちょう》……？
アタシ…ほんとうは…
おい!!てめェら何《なに》やってんだ!!
す、すんません…
人《ひと》をしかるのが好《す》きじゃない…
マグニみたいに恐怖《きょうふ》で人《ひと》を支配《しはい》するんじゃなくて…

みんなが家族《かぞく》のように和気《わき》あいあいと楽《たの》しく笑《わら》い合《あ》える……
そんなチームの船長《リーダー》になりたいの…
船長《せんちょう》…
とてもすてきですわ…
うん!
船長《せんちょう》オォ――!!

むちゃくちゃ感動《かんどう》しました!!
オレも!!
オレもオォ!!
家族《かぞく》って言葉《ことば》、最高《さいこう》です!!
俺《おれ》も実《じつ》はしかられるのが苦手《にがて》で…
なかよく暮《く》らしたいよー!!
船長《せんちょう》ォーーっ!!
お前達《まえたち》……
みなさん…心《こころ》に秘《ひ》めた思《おも》いは同《おな》じだったんですわ…
みたいだな…

最終対決直前《さいしゅうたいけつちょくぜん》…
お前達《まえたち》!!
華帆《かほ》は大事《だいじ》な家族《かぞく》だ!!
アイツらに渡《わた》すわけには、いかないよ!!
おお!!
華帆《かほ》を守《まも》るぞー!!
おおお
みなさん…
われが生《い》き永《なが》らえるのはわれら全員《ぜんいん》の命《いのち》が助《たす》かるときだけだ!!
先祖伝来《せんぞでんらい》のこのお守《まも》りに誓《ちか》おうぞ!!
おおお
ヒルダ船長《せんちょう》…みんな…
いまの言葉《ことば》、いいな!
アレみたいでさ…
えーっと…

ワン フォア オール
オール フォア ワン！
そうそう!!
それ!!
コホン！
？
パァァァ
ここで少《すこ》し私《わたくし》が説明《せつめい》します！
わっ何《なん》だい！それ!?
う、海《うみ》の魔物《まもの》だ！
魔物《まもの》ではありません…私《わたくし》はシプジ！
ヒョヨヨヨ
タイムドリフトした世界《せかい》の探索《たんさく》をお助《たす》けするスマタンの最新《さいしん》アプリです！
へー…スマタンも進化《しんか》してるんだな…
それで何《なに》を説明《せつめい》してくれますの？
コホン！

ワン フォア オール オール フォア ワンは とても有名《ゆうめい》な言葉《ことば》で…
1人《り》はみんなのために みんなは1人《り》のために と訳《やく》されがちです…
しかし ほんとうは…
1人《り》は みんなのために…
みんなはひとつの 目的《もくてき》のためにというのが 正《ただ》しい訳《やく》なのです…
ひとつの目的《もくてき》 って……
華帆《かほ》を守《まも》ることさ！
アタシ達《たち》が絶対《ぜったい》 守《まも》るから！
はい!!
よーし!!
みんな がんばるぞっ!! えいえい おーーっ!!
おぉお

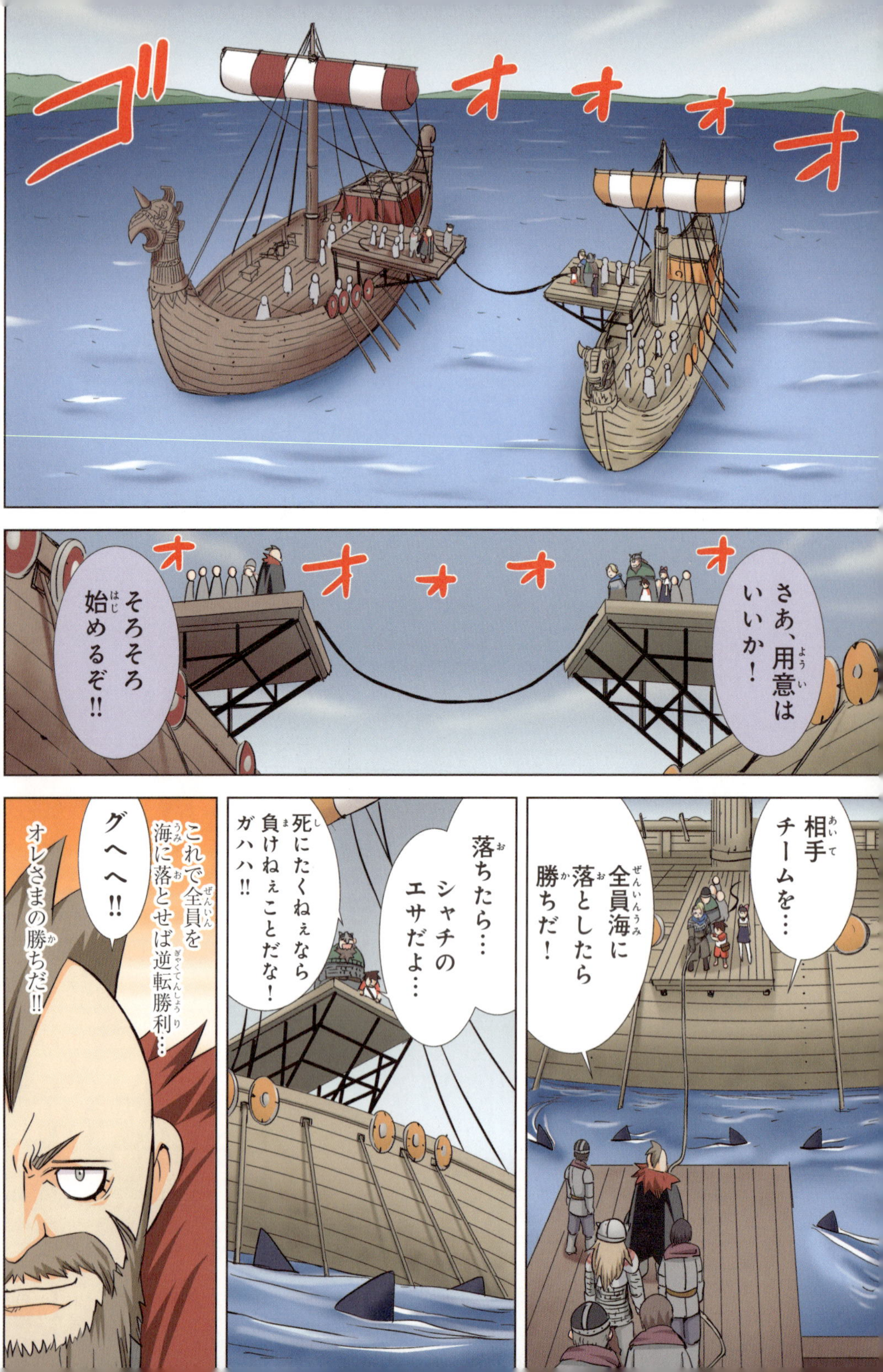
ゴオォォオ
オオォオオ
さあ、用意《ようい》はいいか！
そろそろ始《はじ》めるぞ!!
相手《あいて》チームを…
全員海《ぜんいんうみ》に落《お》としたら勝《か》ちだ！
落《お》ちたら…シャチのエサだよ…
死《し》にたくねぇなら負《ま》けねぇことだな！ガハハ!!
これで全員《ぜんいん》を海《うみ》に落《お》とせば逆転勝利《ぎゃくてんしょうり》…
グへへ!!
オレさまの勝《か》ちだ!!

グッ
みんな、気《き》張《ば》るんだよ！
おぉ!!
位《い》置《ち》について…
ハァ
グ
ハァ
グ
ハァ
よーい…
グググ
ハァ
ハァ
スタート!!
ハァ

お前達《まえたち》心《こころ》をひとつに引《ひ》っ張《ぱ》るんだよ――っ!!
グングン
てめぇら、負《ま》けたら承知《しょうち》しねぇぞーっ!!
グングン

ビィイイン
おお!!
へ…へイ!!
?
雨《あめ》…
みなさんがんばってくださいー!!
グン グン グン
うおおおお!!

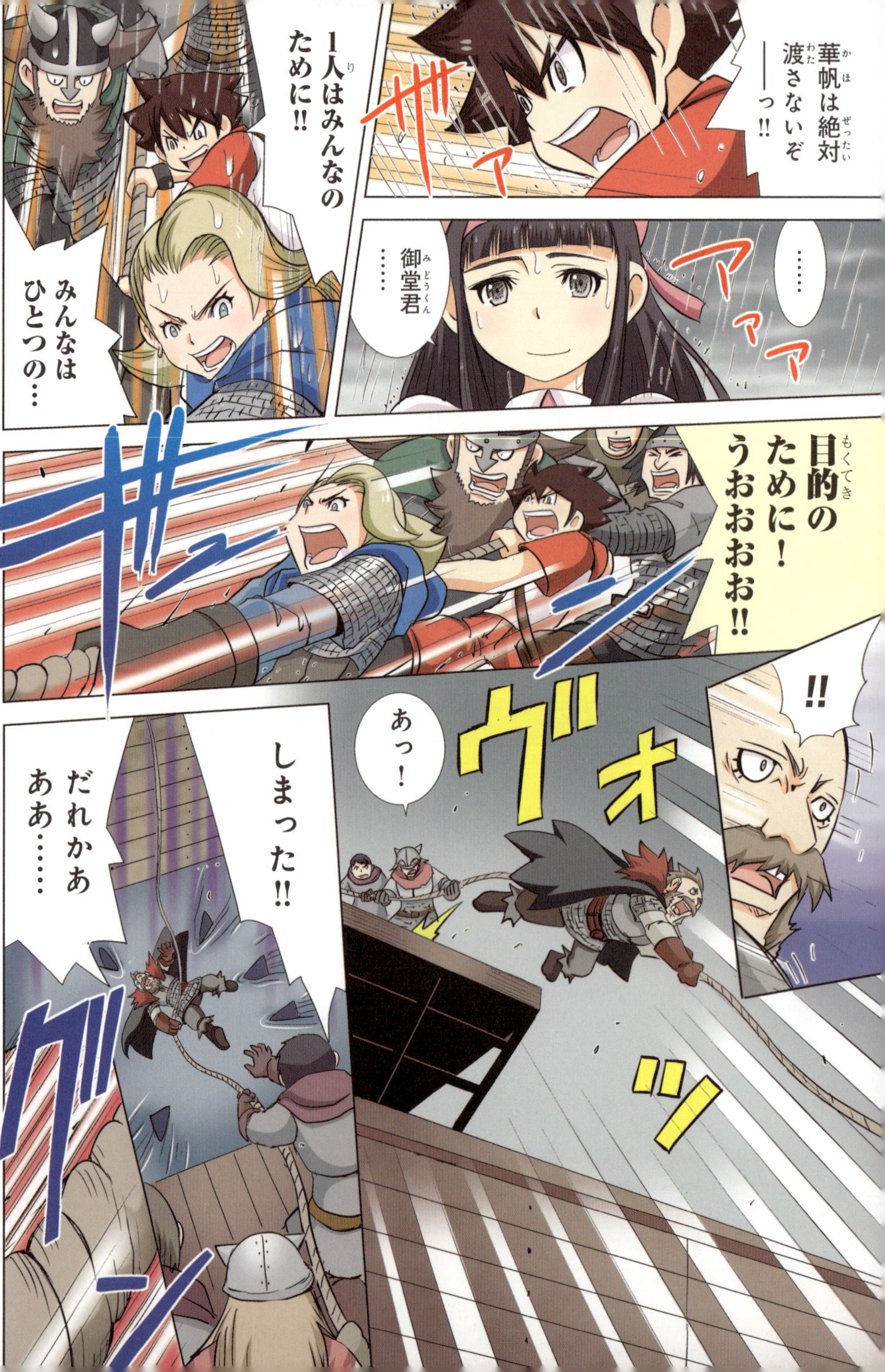
華帆《かほ》は絶対《ぜったい》渡《わた》さないぞ——っ!!
ザァ
……
アァァ
御堂君《みどうくん》……
1人《り》はみんなのために!!
みんなはひとつの…
目的《もくてき》のために!うおおおお!!
ザュン
!!
あっ!
ヴォッ
しまった!!
だれかああ……
グーン

引《ひ》け引《ひ》けー!!
マグニを落《お》とすなー!!
ぐ…
どうして…
ふん…
アンタに死《し》なれちゃ寝覚《ねざ》めが悪《わる》いからね!
ハァ
ハァ
かっ…かたじけない…

ゴ
何《なん》だい急《きゅう》に…気持《きも》ち悪《わる》い…
オ
オ
んだと!? せっかく礼《れい》を言《い》ったのに!!
ドドドド
それより大変《たいへん》ですわ!!
嵐《あらし》が…すぐそこに……
うわあああ!!
ゴバ
ザバ
みんな、つかまれ!!
きゃああ!!
はっ!
ア
ア

マグニさん達《たち》の船《ふね》が…
ズズズ
チッ！
お前達《まえたち》…海《うみ》に落《お》ちた奴《やつ》を助《たす》けるんだよ!!
おぉ!!
だいじょうぶか!!
ロープにつかまれ!!
引《ひ》っ張《ぱ》るぞ！
何《なん》とか間《ま》に合《あ》った…
ハァ…
ハァ…
しかし…
ええ、まだ油断《ゆだん》できませんわ…
一刻《いっこく》も早《はや》くこの海域《かいいき》から抜《ぬ》け出《だ》さないと…
ゴゴゴ
華帆《かほ》の言《い》うとおりだよ！
全員《ぜんいん》でオールを持《も》つぞー!!
さあみんな力《ちから》を合《あ》わせな!!

せいやーっ!!
ザザザ
せーの!
かけ声《ごえ》がバラバラだ!!
おい、オレに合《あ》わせろ!!
ここはアタシの船《ふね》だよ!
そっちが合《あ》わせな!!
何《なん》だと!?
いいかげんにしてください!!
一刻《いっこく》を争《あらそ》う状況《じょうきょう》ですよ!!
ケンカなんかしている場合《ばあい》ですか!!
でも…
こいつが…
黙《だま》って!!
私《わたくし》のかけ声《ごえ》に…
従《したが》ってください!!
いいですね!?
…はい。…はい。
華帆《かほ》って…
おこらせるとこわいんだぜ…
準備《じゅんび》はいいですか!?
いきますわよ!!

いち!!
ザザ
に!!
おおっ!!
ザザ
ザザ
ザザ
進《すす》んだ!!
この調《ちょう》子《し》で……
いくぞーっ!!
いち!!
に!!
いち!!
に!!

た…助《たす》かった…
オレ達《たち》、何《なん》とかやりきったな！
まさにワン フォア オール オール フォア ワンの精神《せいしん》でしたわね！
ああ!!
おい!! ヒルダ!!
何《なん》だい？マグニ…
今回《こんかい》の対決《たいけつ》はお前達《まえたち》の勝《か》ちだ…
だれがほしい？
覚悟《かくご》はできている…
……

ふん、だれもいらないよ!!
えっ!?
代《か》わりに…ひとつ提案《ていあん》していいかい?
あ…ああ…
勝者《しょうしゃ》は敗者《はいしゃ》から何《なに》かを奪《うば》うんじゃなく…
勝利《しょうり》の証《あか》しとして…
名誉《めいよ》の黄金《おうごん》のカップを授与《じゅよ》されることにしないかい?

そうか……
われら バイキングに 伝《つた》わる… 黄金《おうごん》のカップか…
うむ…
異論《いろん》など あろうはずが ない!!
よかった ですわね…
ああ!
!?
華帆《かほ》! 航《わたる》! お前《まえ》ら からだが……
え?
パ

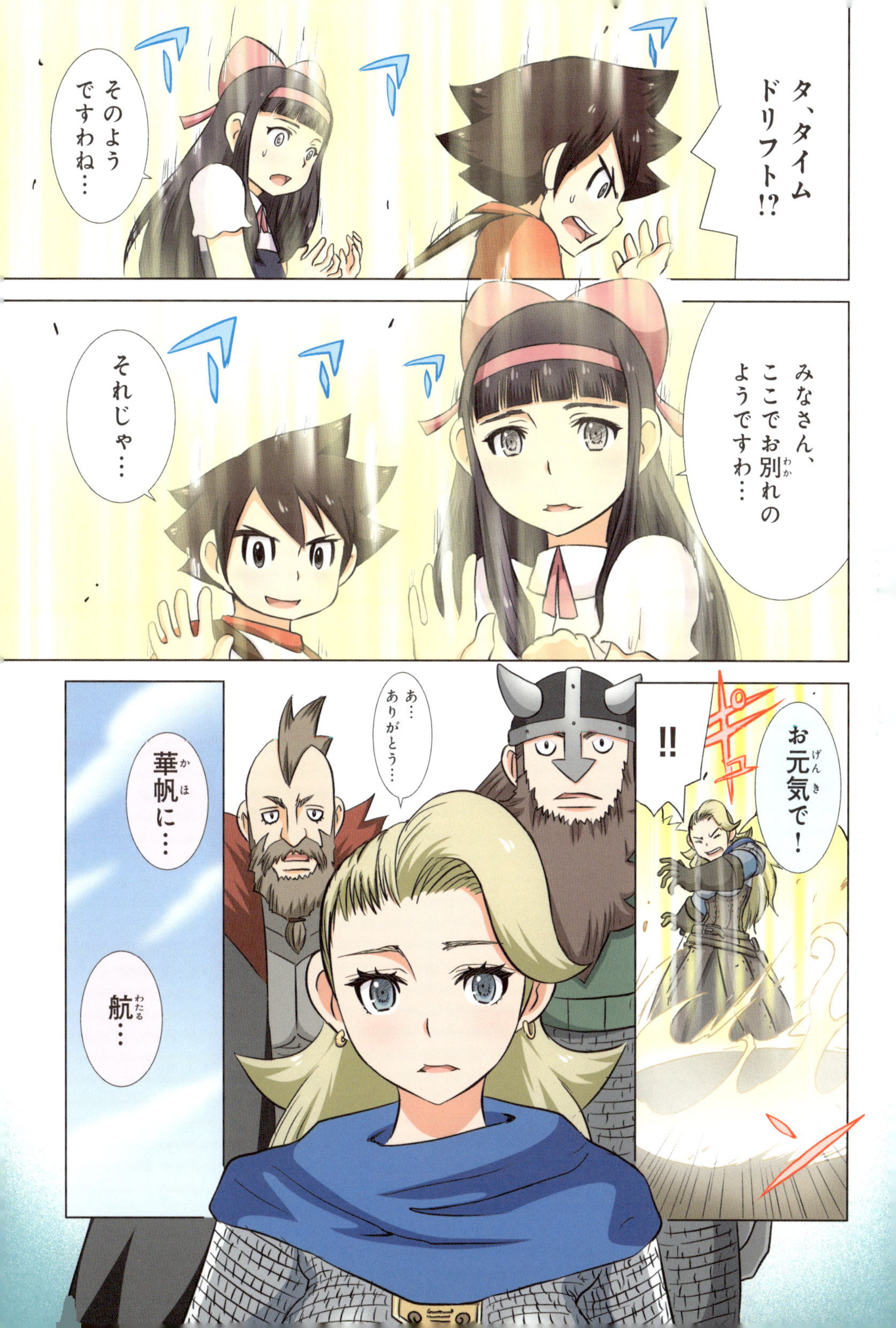
タ、タイム
ドリフト!?
そのようですわね…
みなさん、ここでお別《わか》れのようですわ…
それじゃ…
お元《げん》気《き》で!
!!
あ…ありがとう…
華《か》帆《ほ》に…
航《わたる》…

コナンの推理《すいり》NOTE《ノート》

明治時代《めいじじだい》になるまで、日本《にっぽん》にスポーツはなかった？

欧米《おうべい》で生《う》まれたスポーツ文化《ぶんか》は、明治時代《めいじじだい》に日本《にっぽん》にやってきた！

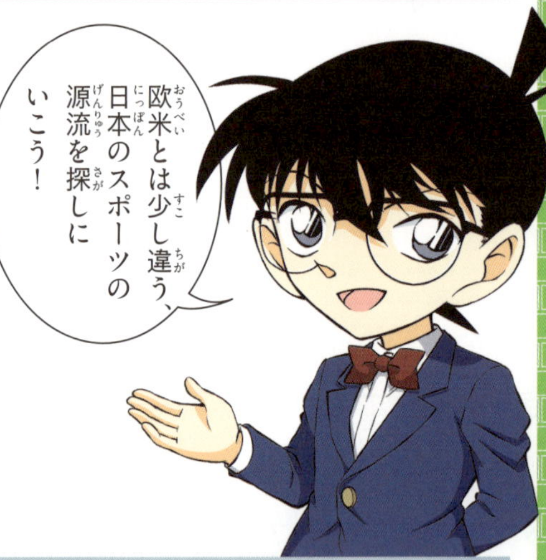

娯《ご》楽《らく》や競技《きょうぎ》として運動《うんどう》を「楽《たの》しむ」スポーツという考《かんが》えかたは、ヨーロッパで生《う》まれたものだ。その考《かんが》えかたが日本《にっぽん》に伝《つた》わったのは19世紀末《せいきまつ》、外《がい》国《こく》との交流《こうりゅう》がさかんになった明治時代《めいじじだい》のこと。それまでの日本《にっぽん》にも運動《うんどう》する文化《ぶんか》はあったが、それは神《かみ》にささげる「神事《しんじ》」や、武士《ぶし》の「鍛錬《たんれん》」だった。そうした伝統文化《でんとうぶんか》とスポーツが混《ま》じり合《あ》い、日本《にっぽん》のスポーツ文化《ぶんか》は生《う》まれたのだ。

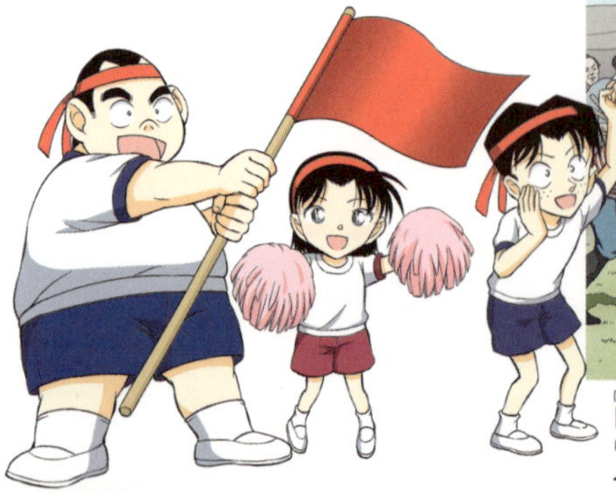

日本初《にっぽんはつ》のスポーツの試合《しあい》は、1873年《ねん》にイギリス人《じん》が横浜《よこはま》で行《おこな》ったラグビーの試合《しあい》とされている。

日本《にっぽん》の「柔道《じゅうどう》」から世界《せかい》の「JUDO《ジュードー》」へ！

オリンピックの競技種目《きょうぎしゅもく》にもなっている柔道《じゅうどう》は、明治時代《めいじじだい》の1882年《ねん》に嘉納治五郎《かのうじごろう》がつくった武道《ぶどう》だ。日本古来《にっぽんこらい》の武術《ぶじゅつ》「柔術《じゅうじゅつ》」のさまざまな流派《りゅうは》を研究《けんきゅう》した嘉納《かのう》が、より安全《あんぜん》に心身《しんしん》を鍛《きた》えられる体育《たいいく》・スポーツとして確立《かくりつ》した「柔道《じゅうどう》」は、その後《ご》、世界中《せかいじゅう》に広《ひろ》まった。いまや「JUDO《ジュードー》」は世界《せかい》の共通語《きょうつうご》だ。

柔道《じゅうどう》の創始者《そうししゃ》 嘉納治五郎《かのうじごろう》

柔術《じゅうじゅつ》

武士《ぶし》の戦《たたか》いの技術《ぎじゅつ》として、室町時代以降《むろまちじだいいこう》、さまざまな流派《りゅうは》が生《う》まれた「柔術《じゅうじゅつ》」。現代《げんだい》の柔道《じゅうどう》とは違《ちが》い、突《つ》きや蹴りなどの危険《きけん》な技《わざ》も含《ふく》む武術《ぶじゅつ》だった。

学校《がっこう》から広《ひろ》まった「野球《やきゅう》」

明治時代《めいじじだい》の1872年《ねん》にアメリカ人《じん》が日本《にっぽん》に伝《つた》えた「ベースボール」は、「野球《やきゅう》」と翻訳《ほんやく》されて日本《にっぽん》に広《ひろ》まった。その中心《ちゅうしん》になったのが、大学《だいがく》をはじめとする学校《がっこう》の野球部《やきゅうぶ》だった。甲子園《こうしえん》や六大学野球《ろくだいがくやきゅう》などの大会《たいかい》は、プロ野球《やきゅう》よりも歴史《れきし》が古《ふる》く、人気《にんき》も高《たか》かったぞ。

野球雑誌《やきゅうざっし》の表紙《ひょうし》を飾《かざ》る大学野球部《だいがくやきゅうぶ》の選手《せんしゅ》。大学野球《だいがくやきゅう》はプロ野球《やきゅう》より人気《にんき》も高《たか》かった。

手袋《てぶくろ》のような形《かたち》をした大正時代《たいしょうじだい》のグローブ。野球《やきゅう》のグローブは「鍋《なべ》つかみ」から生《う》まれたといわれている。

1964年《ねん》のオリンピック東京大会《とうきょうたいかい》で、オランダのヘーシンク選手《せんしゅ》が日本人選手《にっぽんじんせんしゅ》を破《やぶ》って金《きん》メダルを獲得《かくとく》したことが、柔道《じゅうどう》の国際化《こくさいか》を加速《かそく》させたんじゃよ。

世界《せかい》は「相撲《すもう》」でつながっている!?

日本《にっぽん》の国技《こくぎ》とも呼《よ》ばれる相撲《すもう》のルーツは、神《かみ》をまつる「神事《しんじ》」にある。その歴史《れきし》はとても古《ふる》く、日本《にっぽん》でもっとも古《ふる》い歴史書《れきししょ》『日本書紀《にほんしょき》』には、野見宿禰《のみのすくね》と当麻蹶速《たいまのけはや》による相撲対決《すもうたいけつ》が記《しる》されている。その後《ご》、鎌倉時代《かまくらじだい》に武士《ぶし》の鍛錬《たんれん》としてさかんになった相撲《すもう》は、室町時代《むろまちじだい》から江戸時代《えどじだい》にかけて興行《こうぎょう》として行《おこな》われるようになり大人気《だいにんき》となった。この興行相撲《こうぎょうずもう》が現在《げんざい》の大相撲《おおずもう》のルーツになっている。

相撲《すもう》の四股《しこ》には、土地《とち》の神《かみ》をしずめる意味《いみ》がある。現代《げんだい》の大相撲《おおずもう》にも、「神事《しんじ》」の要素《ようそ》が多《おお》く残《のこ》っているぞ。

これが世界《せかい》の「相撲《すもう》」だ！

裸一貫《はだかいっかん》で組《く》み合《あ》って力比《ちからくら》べをし、相手《あいて》の足裏以外《あしうらいがい》のからだを地面《じめん》につけたら勝《か》ち。そんな相撲《すもう》と同《おな》じようなルールの格闘技《かくとうぎ》やスポーツは、古《ふる》くから世界中《せかいじゅう》に存在《そんざい》している。時代《じだい》や地域《ちいき》を問《と》わず、人《ひと》びとが楽《たの》しんできた「相撲《すもう》」は、人類共通《じんるいきょうつう》の文化《ぶんか》なのだ。

セネガル

スイス

インド

モンゴル

武士《ぶし》が極《きわ》めた「弓馬《きゅうば》の道《みち》」

笠懸《かさがけ》

流鏑馬《やぶさめ》

犬追物《いぬおうもの》

3つ合《あ》わせて騎射三物《きしゃみつもの》！

武士《ぶし》の生《い》き方《かた》を「弓馬《きゅうば》の道《みち》」と呼《よ》ぶことがある。武術《ぶじゅつ》にはさまざまなものがあるが、中《なか》でも武士《ぶし》がもっとも重要視《じゅうようし》したのが、騎射《きしゃ》（馬《うま》に乗《の》って、弓《ゆみ》を射《い》ること）だったからだ。そのための鍛錬《たんれん》としてさかんに行《おこな》われたのが「騎射三物《きしゃみつもの》」。遠《とお》くの的《まと》を射《い》る「笠懸《かさがけ》」、連続《れんぞく》した的《まと》を射《い》る「流鏑馬《やぶさめ》」、犬《いぬ》を追《お》いかけて射《い》る「犬追物《いぬおうもの》」だ。

武道《ぶどう》で大切《たいせつ》なのは、心《しん》・技《ぎ》・体《たい》よ！
かっこいい！

空手道《からてどう》は琉球《りゅうきゅう》（現在《げんざい》の沖縄県《おきなわけん》）で発達《はったつ》した武術《ぶじゅつ》。琉球《りゅうきゅう》では「手《て》」または「唐手《からて》」と呼《よ》ばれておったぞ。日本《にっぽん》に伝《つた》えられたのは、大正時代《たいしょうじだい》になってからのことなんじゃ。

コナンの推理《すいり》NOTE《ノート》

技術《ぎじゅつ》の発展《はってん》は、いつも遊《あそ》びとともに！

遊《あそ》び道具《どうぐ》はいつも、その時代《じだい》の最新《さいしん》技術《ぎじゅつ》とともに進化《しんか》してきたぞ！

江戸時代《えどじだい》の子《こ》どもの遊《あそ》び

おもちゃやゲーム機《き》などの遊《あそ》び道《どう》具《ぐ》は、いまでは工場《こうじょう》でつくられたものをお店《みせ》で買《か》うのが当《あ》たり前《まえ》になっている。でも、昔《むかし》の遊《あそ》び道具《どうぐ》の多《おお》くは、身近《みぢか》な材料《ざいりょう》を使《つか》って手《て》づくりされていた。その変化《へんか》の歴史《れきし》をたどることは、技術《ぎじゅつ》の発展《はってん》の歴史《れきし》を知《し》ること。新《あたら》しい技術《ぎじゅつ》とともに進化《しんか》してきた、遊《あそ》び道具《どうぐ》の歴史《れきし》をひもといてみよう。

手《て》づくりから工業製品《こうぎょうせいひん》へ！

木《き》や焼《や》き物《もの》のおもちゃ

おもちゃの歴史《れきし》はとても古《ふる》い。1万《まん》年《ねん》以上前《いじょうまえ》の遺跡《いせき》からも、石《いし》や木《き》、動物《どうぶつ》の骨《ほね》などでつくった人形《にんぎょう》が見《み》つかっている。その後《ご》、粘土《ねんど》を焼《や》いた土器《どき》や、布《ぬの》や紙《かみ》が発明《はつめい》されると、おもちゃもそれらを使《つか》ってつくられるようになった。

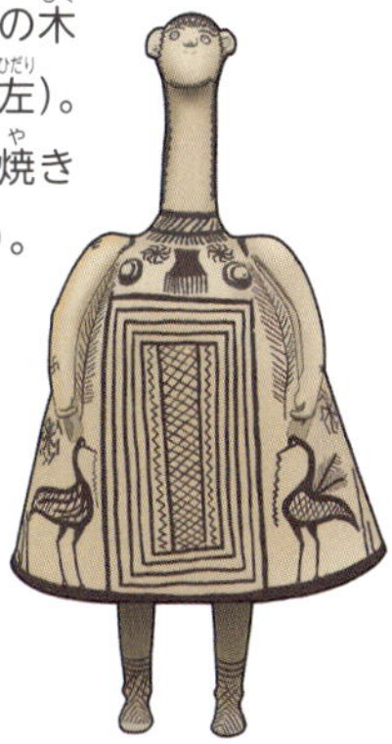

中世《ちゅうせい》ヨーロッパの木《もく》製《せい》のおもちゃ（左《ひだり》）。古代《こだい》ギリシアの焼《や》き物製《ものせい》の人形《にんぎょう》（右《みぎ》）。

金属製《きんぞくせい》のおもちゃ

19世紀《せいき》になると、当時《とうじ》の最新技術《さいしんぎじゅつ》だった機関車《きかんしゃ》や自動車《じどうしゃ》などをかたどったブリキ（※）製《せい》のおもちゃが生《う》まれた。ブリキは14世紀《せいき》に発明《はつめい》されていたが、その加《か》工技術《こうぎじゅつ》が19世紀《せいき》に機械化《きかいか》されたことで、身近《みぢか》な材料《ざいりょう》として広《ひろ》まったのだ。

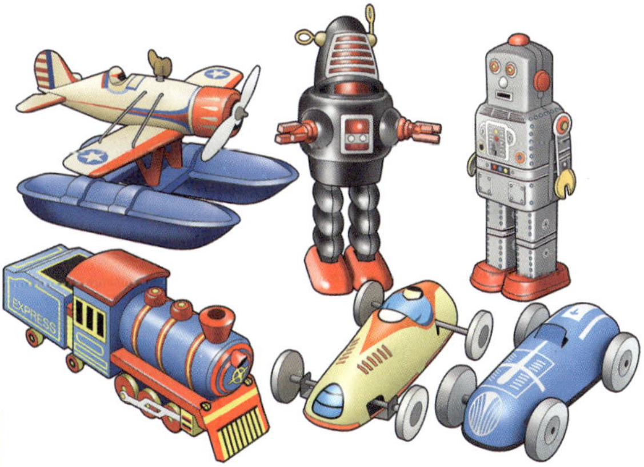

プラスチック製《せい》のおもちゃ

20世紀《せいき》に発明《はつめい》されたプラスチックは、加工《かこう》がしやすく軽《かる》いため、すぐにおもちゃにも利用《りよう》されるようになった。そのひとつが、プラスチック製《せい》の着《き》せ替《か》え人形《にんぎょう》「ファッション・ドール」。その容姿《ようし》と扱《あつか》いやすさで、世界中《せかいじゅう》の女《おんな》の子《こ》の人気《にんき》を集《あつ》めた。

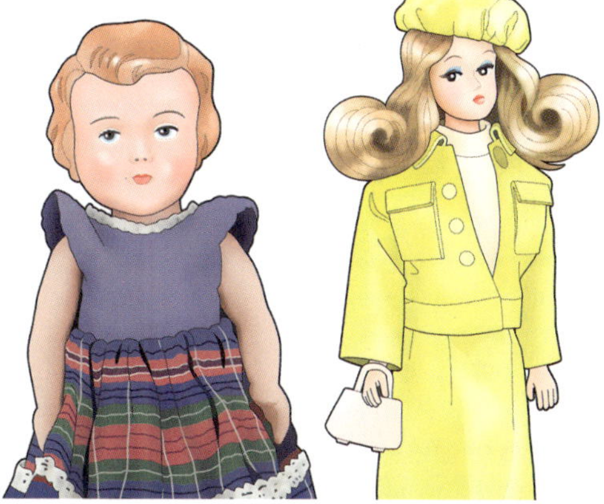

1枚《まい》の紙《かみ》を折《お》ってつくる紙飛行機《かみひこうき》は、飛行機《ひこうき》の発明以前《はつめいいぜん》からあり、日本《にっぽん》では「トンビ」、ヨーロッパでは「ペーパーダーツ（紙《かみ》の矢《や》）」と呼《よ》ばれておったぞ。

※ブリキ……薄《うす》い鉄板《てっぱん》をスズという金属《きんぞく》でメッキ（金属《きんぞく》をほかの金属《きんぞく》の薄膜《はくまく》で覆《おお》うこと）したもの。

コンピュータが広《ひろ》げた遊《あそ》びの世界《せかい》

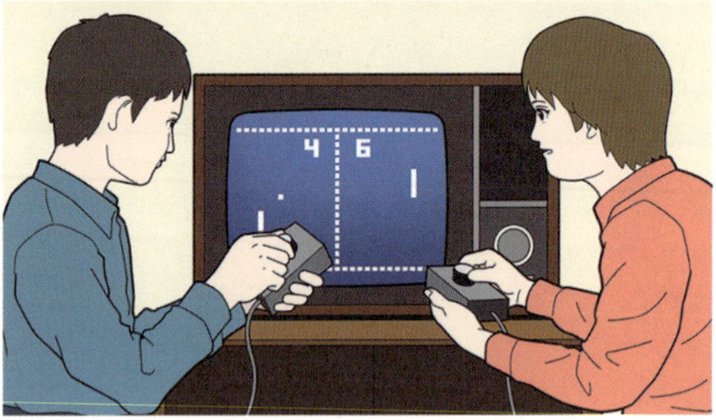

1970年代《ねんだい》

ビデオゲームの発明《はつめい》

いまやゲームの主役《しゅやく》となったビデオゲーム（コンピュータ技術《ぎじゅつ》を使《つか》ったゲーム）は、1970年代《ねんだい》にアメリカで発明《はつめい》された。日本《にっぽん》では、1978年《ねん》の業務用《ぎょうむよう》ゲーム「スペースインベーダー」（タイトー）の登場《とうじょう》をきっかけに急速《きゅうそく》に広《ひろ》まった。

1980年代《ねんだい》

家庭《かてい》にゲーム機《き》が広《ひろ》がる

1983年《ねん》の「ファミリーコンピュータ」（任天堂《にんてんどう》）の発売《はつばい》をきっかけに、家庭用《かていよう》ゲーム機《き》が一気《いっき》に普及《ふきゅう》。家庭用《かていよう》ゲーム機《き》はコンピュータ技術《ぎじゅつ》の発展《はってん》とともに進化《しんか》し、遊《あそ》びの主役《しゅやく》になっていった。

1990年代《ねんだい》～

オンラインゲームの登場《とうじょう》

1990年代《ねんだい》にインターネットが普及《ふきゅう》すると、インターネットを介《かい》して同《おな》じゲームで遊《あそ》べるオンラインゲームが登場《とうじょう》。遠《とお》く離《はな》れた人《ひと》と、同《おな》じ時間《じかん》に同《おな》じゲームを楽《たの》しめるようになった。

21世紀《せいき》はVR《ブイアール》ゲームの時代《じだい》だ！

コンピュータ技術《ぎじゅつ》によってつくられた仮想空間《かそうくうかん》を現実《げんじつ》のように体験《たいけん》できるVR《ブイアール》（バーチャルリアリティ）技術《ぎじゅつ》の誕《たん》生《じょう》で、まるで実際《じっさい》にゲームの中《なか》に入《はい》っているかのように遊《あそ》べる時代《じだい》がやってきた。

スポーツとゲームが融合《ゆうごう》した「e《イー》スポーツ」

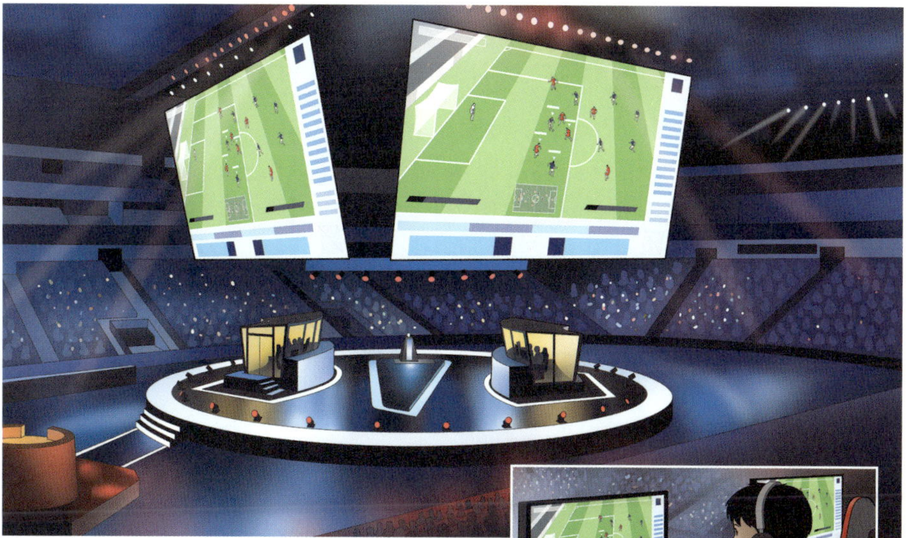

21世紀《せいき》になって生《う》まれた新《あたら》しい競技《きょうぎ》が「e《イー》スポーツ」だ。ビデオゲームによる競技《きょうぎ》だが、オリンピックを主催《しゅさい》する国際《こくさい》オリンピック委員会《いいんかい》（IOC《アイオーシー》）が公式《こうしき》に催《もよお》す大会《たいかい》も開《ひら》かれている。「スポーツの三要素《さんようそ》」（53ページ）のひとつ「激《はげ》しい身体活動《しんたいかつどう》」をともなわない「e《イー》スポーツ」は、年齢《ねんれい》や性別《せいべつ》、障《しょう》がいの有無《うむ》などを超《こ》えて、だれもが参加《さんか》できる新《あたら》しい「スポーツ」として注目《ちゅうもく》されている。

オリンピックe《イー》スポーツの種目《しゅもく》

アーチェリー、サイクリング、ダンス、チェス、テニス、モータースポーツ、野球《やきゅう》など。

これからも人類《じんるい》は、「遊《あそ》び」とともに進化《しんか》していくんだ！
遊《あそ》びも歴史《れきし》の勉強《べんきょう》も、がんばるぞ！

オリンピックのアジア版《ばん》といわれる「アジア大会《たいかい》」の2023年《ねん》杭州大会《こうしゅうたいかい》（中国《ちゅうごく》）では、はじめて「e《イー》スポーツ」が正式競技《せいしききょうぎ》として採用《さいよう》されたんじゃ。

1900年《ねん》 パリオリンピック会場《かいじょう》
ギュン
ゴツン
スタッ
FILE. 6
受《う》けつがれた言葉《ことば》
いって〜…何《なん》だよ、毎回《まいかい》…
!! ここは…
オリンピック会場《かいじょう》ですわ!!
オレ達《たち》、戻《もど》ったのか!?
Jeux olympique
それじゃあとにかく…
綱引《つなひ》き会場《かいじょう》に…
いっそげ——!!

はあ…
シュミットさーーん！
航君《わたるくん》!!
華帆君《かほくん》!!
タタタ
ぶじか!?
いったいぜんたい…
いままでどこに…？
あー…まあ、いろいろね…
それよりも試合《しあい》は？
何《なん》にもいらないよ…心配《しんぱい》
ふるえてるけど…
プルプルプル
みなさんに勝《か》ってほしいんです…!!
う～ん…
全力《ぜんりょく》は尽《つ》くすけどね…
そんな弱気《よわき》でどうする…んっ!?
えっ？
!!
それって…
これのこと？

これはね…
先祖《せんぞ》代々《だいだい》伝《つた》わるシュミット家《け》のお守《まも》りさ!
えっ!?
ってことはご先祖《せんぞ》さまはヒルダ船長《せんちょう》!?
キミ達《たち》、ボクのご先祖《せんぞ》を知《し》ってるの!?
知《し》ってるも何《なに》も…
そんなことが…
うん…信《しん》じられないと思《おも》うけど…
いや、信《しん》じるよ…
だって…

このお守《まも》りの裏《うら》を見《み》てごらん…
？
この文《ぶん》の意味《いみ》は…
〝1人《り》はみんなのために…みんなはひとつの目的《もくてき》のためにさ…〟
それ、私達《わたくしたち》がヒルダ船長《せんちょう》に伝《つた》えた言葉《ことば》ですわ！
そうだったのか…
大事《だいじ》なことを見失《みうしな》うところだったよ!!
シュミットさん……

聞《き》いていたか、諸君《しょくん》!! 不利《ふり》な勝負《しょうぶ》なのは分《わ》かっている…
しかし、それでもわれわれは…
国《くに》の名《な》に恥《は》じぬよう、力《ちから》を合《あ》わせて戦《たたか》おうじゃないか！
おお!!
腕力《わんりょく》が続《つづ》く限《かぎ》り、ひたすら引《ひ》っ張《ぱ》るさ!!
!!
そうだ!!
綱引《つなひ》きの極意《ごくい》を教《おし》えてやるよ！
極意《ごくい》？
ふむふむ…
なるほど!!

これより…
わあああああ
パリオリンピックの綱《つな》引《ひ》き競技《きょうぎ》を行《おこな》います!!
がんばってください!!
頼《たの》む!!
勝《か》ってくれ!!
両《りょう》チーム、位置《いち》について…
ハァ…
ハァ…
ハァ…
よーい…
始《はじ》め!!
ふん…
楽勝《らくしょう》さ…

オーエス！
オーエス！
いち！
に！
いち！
に！

ヴィィン
ギュー
ズズ…
!!
な……こ、こいつら……
ズズズ
さっきとは別人《べつじん》だ…!!

シュミットさん、いけ――!!
がんばってくださいー!!
もっとからだをうしろに!!
おぉ!!
ファイト――!!
グオッ
一発《いっぱつ》!!
うわわっ!!
勝者《しょうしゃ》!!デンマーク・スウェーデン合同《ごうどう》チーム!!
おおお!!
やったぜ!!
やりましたわ!!

ENTER
歴史《れきし》は
？ー？だ！
う〜ん…
チームを優勝《ゆうしょう》に導《みちび》いたけど…
何《なに》もヒントは…
自力《じりき》で解《と》くしかねーな…
えーと…
〝紙《かみ》〟…
〝重《え》〟っと…
歴史《れきし》は
紙《かみ》ー重《え》だ
ENT
〝紙一重《かみひとえ》〟…ですの？
ああ！
さっきの勝負《しょうぶ》、大接戦《だいせっせん》だっただろ？まさに勝負《しょうぶ》は〝紙一重《かみひとえ》〟って感《かん》じだったから…

!!
ヴヴン
違《ちが》った…
華帆君《かほくん》、航君《わたるくん》!!
あ！シュミットさん!!優勝《ゆうしょう》おめでとうございます!!
見事《みごと》だったぜ!!
キミ達《たち》が…
教《おし》えてくれた極意《ごくい》のおかげさ!!
お礼《れい》ならオレ達《たち》にじゃなくて…
ご先祖《せんぞ》さまに!!
ああ、たしかに！
あ！
それって…
ああ…優勝《ゆうしょう》の盾《たて》さ！
重《おも》っ!!
ていうか、メダルじゃないんだ…
ズシッ
シュミットさん、そちらは…？
んぐぐ
ああ…こっちは表彰状《ひょうしょうじょう》だよ…

何《なん》て書《か》いてあるんだ…？
Jeux olympiques Paris 1900
OLYMPIC GAME
tug of war
〝オリンピックゲーム〟ですわ…!!
ゲームって遊《あそ》びの…？
遊《あそ》びのことではありませんわ！
英語《えいご》で「試合《しあい》」って意味《いみ》ですの！
そのとおり…だが、航君《わたるくん》もまちがいではない！
え？
たしかに、ゲームには試合《しあい》という意味《いみ》もある…
でも、そもそもスポーツは、本気《ほんき》の遊《あそ》びや戦《たたか》いが形《かたち》を変《か》えたものなんだよ！

つまり…
つまり？
スポーツは遊《あそ》びと本気《ほんき》の試合《しあい》が表裏《ひょうり》一体《いったい》をなしているのさ！
表裏《ひょうり》一体《いったい》…
!!
御堂君《みどうくん》、スマタンを!!
ああ!!
〝表裏《ひょうり》〟…
〝体《たい》〟！
トトト
この言葉《ことば》が、歴史《れきし》を…
歴史《れきし》は
表裏《ひょうり》一体《たい》だ！
ENTER

表現《ひょうげん》するのにぴったりの言葉《ことば》ですわ、きっと！
たしかに!!
ヴヴーン
え――!?
違《ちが》いましたわ！
まずいよ！あと1回《かい》まちがえたらおしまいだ!!
そう言《い》われましても…もう…
あ!!
どうしたんですの？
史《し》は
?ー?だ！
オレ達《たら》、真《ま》ん中《なか》の文字《もじ》を漢数字《かんすうじ》の「一《いち》」だと思《おも》ってたけど…
もしかしてカタカナの伸《の》ばし棒《ぼう》じゃないのか？
!!!
答《こた》えはきっと…
ああ、あれだよ!!

歴史《れきし》は…
ゲームだ!!
歴史《れきし》は
ゲームだ!
トッ
CLEAR
ポーン
おお!!
やったぁ!!
やりましたわ!!
!?
パァァァ
キミ達《たち》、からだが…
あ…
アアア
どうやらお別《わか》れみたいですわね…
そうか…
キミ達《たち》には感謝《かんしゃ》しているよ…

オレ達《たち》もおかげで…
答《こた》えにたどり着《つ》けましたわ!
さようなら!!
ギューン
華《か》帆《は》君《くん》…
航《わたる》君《くん》…
ワン フォア オール オール フォア ワン…
忘《わす》れないよ!!

今回《こんかい》も何《なん》とか解《と》けましたね！
オリンピックもゲームのひとつだったんだな！
ゲームって意《い》味《み》が深《ふか》いのね！
謎《なぞ》解《と》きの答《こた》えから考《かんが》えれば…
前回《ぜんかい》は食《た》べ物《もの》、
今回《こんかい》はスポーツの歴《れき》史《し》に立《た》ち会《あ》ったことになる…
今回《こんかい》は、だれも航《わたる》さんや華《か》帆《ほ》さんのジャマをしてこなかったが…
X《エックス》は…オレ達《たち》に、いったい何《なに》をさせようとしているんだ…？

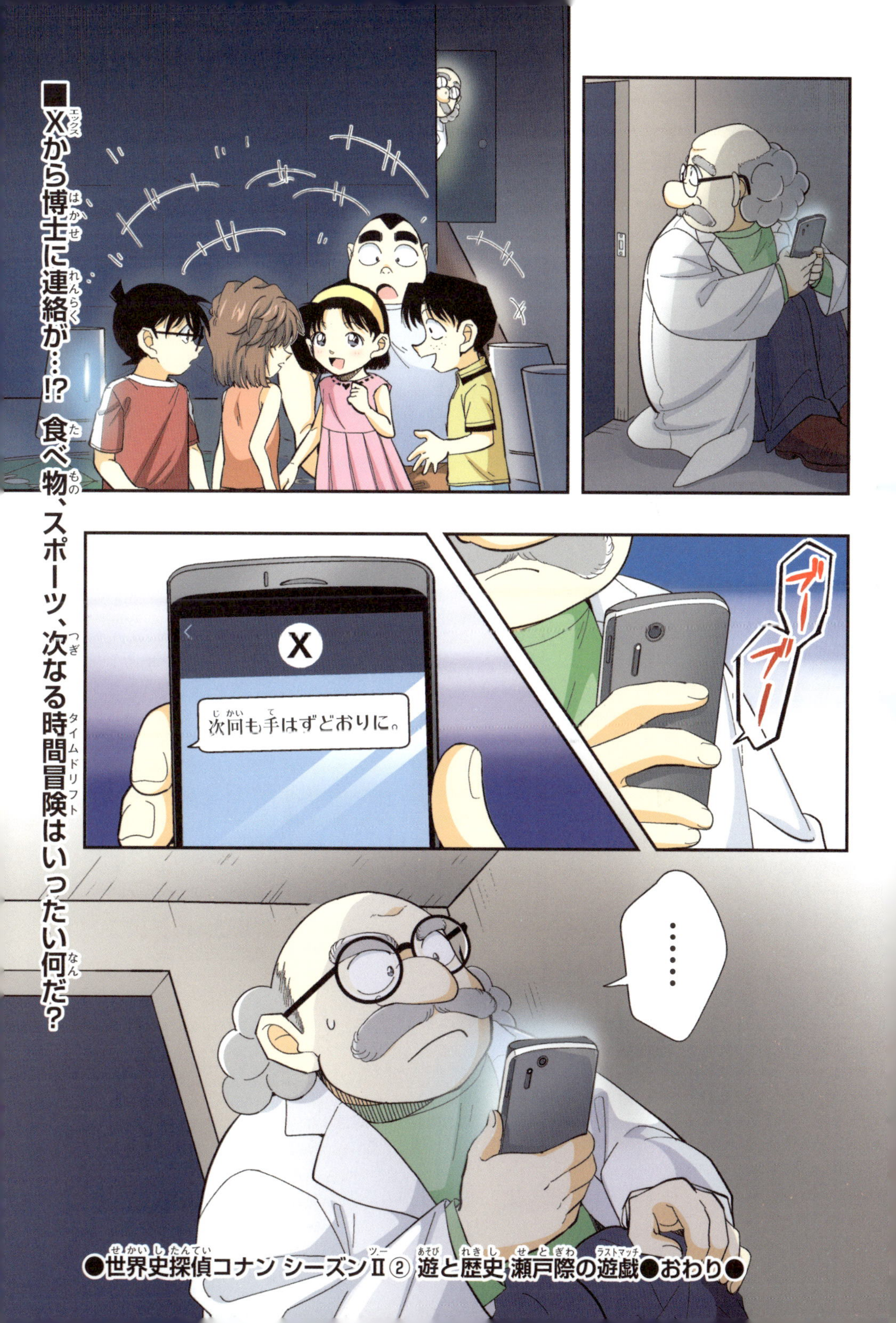
■X《エックス》から博士《はかせ》に連絡《れんらく》が…!? 食《た》べ物《もの》、スポーツ、次《つぎ》なる時間冒険《タイムドリフト》はいったい何《なん》だ?
ブーブー
X
次回《じかい》も手《て》はずどおりに。
……

●世界史探偵《せかいしたんてい》コナン シーズンⅡ《ツー》② 遊《あそび》と歴史《れきし》 瀬戸際《せとぎわ》の遊戯《ラストマッチ》●おわり●

名探偵コナン歴史まんが

世界史探偵コナン・シーズン2

2［遊と歴史］瀬戸際の遊戯《ラストマッチ》

2024年4月15日　初版第1刷発行

発行人　野村敦司
発行所　株式会社　小学館
〒101-8001
東京都千代田区一ツ橋2-3-1
電話　編集　03(3230)5632
　　　販売　03(5281)3555

印刷所　TOPPAN株式会社
製本所　牧製本印刷株式会社

ISBN978-4-09-296725-0 Shogakukan.Inc

◆原作／青山剛昌
◆シリーズ構成／田端広英
　カラビナ
◆まんが／谷仲ツナ　海童博行　狛枝和生
◆カバーイラスト／太田勝　海童博行
◆イラスト／九里もなか　加藤貴夫
◆脚本／能塚裕喜　増田友梨（カラビナ）
◆記事構成／田端広英
◆ブックデザイン／竹歳明弘（Studio Beat）
◆カラーリングディレクター／
　二野戸聡　蒔田典尚　木村慎司
　（株式会社トッパングラフィックコミュニケーションズ）
◆校閲／目原小百合
◆編集協力／増田友梨　鷲尾達哉　和西智哉
　（カラビナ）

◆制作／浦城朋子
◆資材／斉藤陽子
◆宣伝／内山雄太
◆販売／藤河秀雄
◆編集／藤田健彦

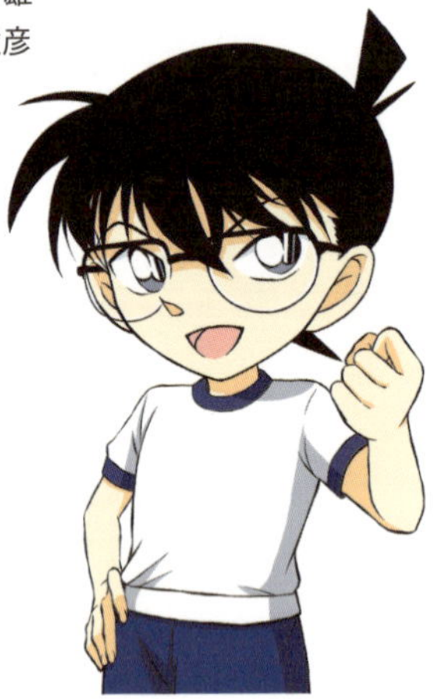

［参考文献］

『遊戯の起源　遊びと遊戯具はどのようにして生まれたか』（増川宏一著、平凡社）、『ホモ・ルーデンス　文化のもつ遊びの要素についてのある定義づけの試み』（ヨハン・ホイジンガ著、里見元一郎訳、講談社）、『遊びと人間』（ロジェ・カイヨワ著、多田道太郎、塚崎幹夫訳、講談社）、『盤上遊戯の世界史　シルクロード 遊びの伝播』（増川宏一著、平凡社）、『古代オリンピック』（桜井万里子、橋場弦編、岩波書店）、『JOA オリンピック小事典 2020 増補改訂版』（日本オリンピック・アカデミー編著、メディア・パル）、『ヴァイキングの歴史　実力と友情の社会』（熊野聰著、創元社）、『キツネ潰し　誰も覚えていない、奇妙で残酷で間抜けなスポーツ』（エドワード・ブルック＝ヒッチング著、片山美佳子訳、日経ナショナル ジオグラフィック）、『ヴァイキング時代―諸文明の起源〈9〉』（角谷英則著、京都大学学術出版会）、『ヴァイキング事典―「知」のビジュアル百科』（スーザン・M. マーグソン著、久保実訳、あすなろ書房）、『オリンピック秘史―120年の覇権と利権』（ジュールズ ボイコフ著、中島由華訳、早川書房）、『【増補改訂】オリンピック全大会―人と時代と夢の物語』（武田薫著、朝日新聞出版）、『ルーンの教科書　ルーン文字の世界　歴史・意味・解釈』（ラーシュ・マーグナル・エーノクセン著、荒川明久訳、アルマット）、『ルーン文字研究序説』（谷口幸男著、小澤実編、八坂書房）

※このまんがは、史実を下敷きに脚色して構成しています。
※まんがの中の古ノルド語のルーン文字表記は、参考文献および関係者の情報をもとに編集部で作字しました。より正しい表記をご存じの方は、編集部まで情報をお寄せください。